DE POUSSIÈRE ET DE SANG

Que renaissent les légendes

L'auteur

Marcus Malte est né en 1967 à Toulon et vit à La Seyne-sur-Mer… devant la mer. Il a déjà écrit une douzaine de romans, pour les grands et les moins grands.

Marcus MALTE

De poussière et de sang

Que renaissent les légendes

POCKET JEUNESSE

Loi n° 49-956 du 16 juillet 1949 sur les publications
destinées à la jeunesse : mars 2007.

ISBN 978-2-266-15264-8

Avant-propos

Cela se passait dans un de ces quartiers de la Terre où tout est jaune. Jaune la lumière, jaunes la poussière dans la lumière et la peau sous la poussière. Et jaune aussi le blanc des yeux des hommes.

C'était un vaste territoire, sans frontières, sans fin, pouvait-on croire. Et pourtant… Si l'horizon s'offrait en permanence au regard, la plupart de ceux qui hantaient ces lieux se refusaient à y songer, érigeant ainsi leurs propres barrières, invisibles, fixant leurs propres limites. Ce afin de se protéger d'eux-mêmes. Conséquence d'une ancestrale et douloureuse expérience. Les morts leur avaient au moins légué cela : une certaine lucidité, une certaine sagesse.

Car ils étaient nombreux ces aînés, ces pères et frères et camarades, à s'en être allés sans se retourner vers cet ailleurs discutable, vers cet au-delà dont ils se remplissaient la bouche et le cœur. Mais combien d'entre eux en étaient revenus ? Seuls les vautours les ont comptés.

À ceux qui étaient restés, les fils, les orphelins, personne n'a jamais pu prouver que le monde là-bas au loin était meilleur.

Ce sont ces hommes que j'ai connus, par ce que l'on nomme « la force des choses ».

Pour eux, seuls comptaient l'instant présent et le sol ferme qu'ils foulaient. Pour eux, l'horizon n'était qu'une gorge avide, profonde, où seul hurlait le silence. Or ils n'aimaient pas le silence. Ils chassaient ce spectre menaçant avec des torrents de paroles, des flots de mots rugueux ou chatoyants, mensonges, mensonges, légendes, menaces ou invectives, qu'importe, pourvu que ça bruisse, pourvu que ça soûle. Sans parler de leurs rires : des tempêtes ! Des lames soudaines d'une puissance, d'une envergure effrayantes ; des vagues au creux desquelles ils étaient tout entiers roulés et balancés, et qui, en se retirant, laissaient dans le fouillis de leurs barbes de fines gouttelettes d'écume vite torchées d'un revers de manche.

Ces hommes avaient soif, et le vin coulait. Ces hommes aimaient se battre, et le sang coulait – noir sur la terre jaune. Celui qui se relevait ramassait d'abord son chapeau, l'époussetait, puis se rinçait la bouche avec un autre verre de vin épais, puis crachait et faisait bruyamment claquer sa langue et faisait craquer ses phalanges. Il était à nouveau prêt. À rire, à boire, à cogner.

J'ai haï ces hommes.

Puis j'ai appris à les connaître. J'ai vécu parmi eux. J'ai vécu comme eux. Et j'ai fini, je crois, par les comprendre.

Puis-je pour cela prétendre avoir vraiment été, un jour, l'un des leurs ? Je ne sais pas.

Mais au moins ai-je pu pardonner.

Quand ils laissaient nonchalamment pendre leurs bras le long de leurs cuisses ou de leurs selles et caressaient la crosse de leurs fusils, c'était par besoin de sentir quelque chose de tangible, quelque chose de solide et de vrai, ici où la moindre parcelle de vérité était laissée en friche.

Avant-propos

Dans ce pays, on ne cultivait pas ; la vigne, les figues, la fièvre, les filles : tout ce qui poussait poussait tout seul. Par « la force des choses », oui. Et rien d'autre.

Étrange pays. Et gens étranges. Au point que la question, souvent, m'est venue à l'esprit : ont-ils réellement existé ? Cela s'est-il réellement passé ?

(Cette drôle de lumière jaune, ce halo d'or qui enveloppe tous mes souvenirs, n'est pas sans me rappeler la poudre versée sous les paupières des enfants qui s'endorment – quand l'heure des songes a sonné.)

La réponse, au fond, n'a pas une si grande importance.

Alors… disons que cela se passait au Sud, c'est sûr, mais où exactement ? Mais quand ?

I

Bandit

1

Les papillons sont des rapaces

À défaut de chêne, c'est sous la haute encolure d'un palmier que Bandit rendait la justice. La sienne. Le rite semblait immuable et respecté de tous.

La troupe présente était constituée d'une vingtaine d'hommes, déployés pour l'occasion en arc de cercle, face à leur chef. Ce dernier était assis sur un tabouret, le dos calé contre le tronc de l'arbre. On avait installé devant lui un pupitre d'écolier, déniché je ne sais où. Ses pieds étaient posés dessus, ainsi que son revolver.

Le visage à demi caché dans l'ombre, les paupières mi-closes, Bandit paraissait sur le point de s'assoupir. C'était mal le connaître. Il goûtait simplement l'instant. Il savourait ces minutes durant lesquelles s'exerçait la pleine mesure de son pouvoir. Les yeux fixés sur sa proie, il jaugeait celle-ci – l'exécutait déjà, en vérité. Il était l'unique juge et sa sentence serait terrible et sans appel. Il le savait. Tous le savaient.

Calquant parfaitement leur attitude sur celle de leur chef, les hommes avaient croisé les bras et s'étaient tus. Un de ces rares moments où le silence régnait.

Au centre de ce semblant de tribunal, exposé à tous les regards, se tenait l'accusé. Le condamné, devrais-je dire. Un vieillard à genoux sur le sol rocailleux. Ses vêtements étaient en loques ; ses poings étaient liés derrière son dos ; son long buste s'inclinait vers l'avant et son front touchait presque terre, dans une posture de suppliant ou de fidèle en prière. On ne distinguait guère que le sommet de son crâne qui n'était plus qu'une plaque de chair rose et nue, à vif, sur le pourtour de laquelle ruisselaient quelques mèches éparses couleur de cendre froide.

Il me fallut un long moment avant de reconnaître en cet être pitoyable mon ami et maître : le vénérable M. Lärsen.

Mon premier réflexe fut de crier. De surprise, de terreur. J'ouvris grand la bouche mais ce cri resta coincé au fond de ma gorge. J'étais incapable de produire le moindre son.

Je ne comprenais à peu près rien à ce qui se passait – où étais-je ? Qui étaient ces hommes ? Que voulaient-ils ? – et j'ignorais depuis combien de temps cela durait. J'avais péniblement relevé les paupières quelques instants plus tôt, émergeant des limbes de l'inconscience. La lumière, crue, intense, m'avait transpercé les rétines et fouaillé jusqu'au tréfonds du crâne. Un long moment s'était encore écoulé avant que je pusse m'y accoutumer. Puis j'avais tout de même fini par distinguer deux ombres minuscules flottant dans l'air au-dessus de moi, que j'avais d'abord prises pour des phalènes, et qui étaient en réalité deux noirs busards qui tournoyaient là-haut, très haut, dans le ciel chauffé à blanc.

Ce fut là ma première vision de ce monde.

J'étais couché par terre, sur le dos. La chaleur pesait sur moi, me clouait au sol tels les bras puissants d'un lutteur.

J'avais dû faire un immense effort pour me retourner. C'est à ce moment-là que j'avais découvert la scène. Elle se déroulait à quelques mètres à peine de moi. Il y avait cet homme assis au pied de l'arbre, siégeant tel un juge suprême, cet homme que l'on appelait Bandit, et toute sa troupe autour de lui, immobile, silencieuse, retenant son souffle ; et il y avait, agenouillé au centre de cette assemblée, mon pauvre M. Lärsen.

M. Lärsen était un homme merveilleux. Un homme qui, depuis ma plus tendre enfance, avait consacré la totalité de son temps à mon instruction et à mon éducation. Tout ce que je savais, c'était lui qui me l'avait appris. Il était officiellement mon précepteur, mais le rôle qu'il jouait dans ma vie ne se réduisait pas à cette simple fonction. Pour l'enfant solitaire que j'étais, il tenait lieu également de camarade de jeu et de confident. Il était le frère que je n'avais pas eu et un second père pour moi. Il était tout cela à la fois.

M. Lärsen était le noyau de mon univers ; et cet univers était sur le point de s'écrouler.

Je sus d'instinct qu'il ne s'agissait pas d'un rêve, ni même, hélas, d'un cauchemar. Je compris encore que cela n'avait rien de commun avec les représentations données au Théâtre de la Ville, auxquelles mes parents me permettaient parfois d'assister. Sans doute s'agissait-il aussi d'un jeu, mais un jeu beaucoup plus cruel, et réel, où les vaincus ne se relèveraient pas pour venir saluer la foule une fois le rideau tombé.

L'air manquait. Pas un frisson parmi les palmes. Peu à peu, je reprenais mes esprits. La conscience me revenait et la douleur avec.

Les hommes n'avaient même pas pris la peine de m'attacher tant mes chances d'évasion étaient à leurs yeux insignifiantes. On m'avait seulement confié à la garde d'un petit bâtard au poil roux et rêche, dénommé Sox. L'animal ne payait pas de mine, mais j'apprendrais par la suite que c'était un redoutable guerrier, hargneux, rusé, et diablement efficace. Pour l'heure il était couché à mes côtés comme un brave petit chien de compagnie, le museau posé sur ses pattes de devant. Il n'avait plus qu'un œil mais c'était le bon, et cette bille d'acajou, brillant d'un éclat vif, presque ironique, ne me lâchait pas une seconde.

Prisonnier sans chaînes, hagard et impuissant, je dus me résigner à faire comme les autres : j'attendis le verdict. Tout en m'efforçant de rester sourd à cette petite voix, au fond de moi, qui me soufflait qu'il n'y avait rien à espérer.

Les rapaces planaient toujours dans les cieux immaculés – anges des sombres présages. D'épaisses gouttes de sueur dégoulinaient le long de mes tempes et dans mon cou. La soif me consumait.

Là-dessus, deux femmes firent leur apparition. Ou plutôt, une femme et une jeune fille. Cette dernière semblait avoir à peu près mon âge. Toutes deux allaient nu-pieds. Chacune par un côté elles contournèrent la troupe, versant à ceux qui le désiraient un breuvage fumant dans des timbales en fer. Du thé ! pensai-je. Mon palais était de poussière. Un vague arôme de menthe se délaya dans l'air et ma gorge parut se craqueler de l'intérieur.

Bandit fut servi le dernier. Sans qu'il lui eût rien dit, la jeune fille posa une tasse pleine sur le coin du bureau. Puis elle s'en retourna. Lorsqu'elle passa à nouveau devant moi, elle eut un très bref moment d'arrêt, et cette fois nos yeux se croisèrent... Oh ! Seigneur !

Paloma.

Aujourd'hui encore, j'ai grand-peine à interpréter ce premier regard qu'elle m'accorda. Il exprimait en même temps la compassion et le mépris ; il était brûlant autant que froid ; il me disait : « Crève ! », mais il me disait aussi : « Relève-toi ! Bats-toi ! » Un air de colère, un air de défi perçant un vaporeux nuage de tristesse.

Une seule fois au cours de mon existence il m'a été donné de revoir un tel regard. Il émanait des yeux d'une saltimbanque, une montreuse d'ours d'un siècle passé. Encore lui manquait-il l'essentiel : la vie. C'était bien des années plus tard, sur une toile exposée dans un musée hollandais. J'étais resté là, prostré devant ce tableau, jusqu'à ce que mes propres yeux s'embuent et que les larmes l'effacent à ma vue.

Paloma... Paloma... je n'ai jamais oublié.

Elle ne me donna pas à boire. Elle se détourna et poursuivit son chemin. Un curieux bijou ceignait l'une de ses chevilles : une sorte de bracelet fait de petits cailloux ou de fragments d'os dont la blancheur étincelait sur sa peau mate. Je ne sais pourquoi j'accrochai désespérément mon regard à cet objet. Je le suivis aussi longtemps que je le pus. Et quand la jeune fille finit par disparaître, j'eus la sensation d'un choc brutal sur le sol, après une chute interminable.

Quelque chose avait changé. L'espèce de charme maléfique paraissait à présent rompu.

Là-bas, au pied de l'arbre, Bandit se redressa. Avec une lenteur calculée, il fit le tour du pupitre, passant de l'ombre à la pleine lumière. Sans quitter sa proie des yeux, il prit sa tasse et la porta à ses lèvres. Il but. Et tous burent. Et tous furent certains, lorsqu'il reposa sa tasse, que le moment était venu. On allait enfin savoir.

Bandit prit la parole. Pour commencer, il ne prononça qu'un seul mot – comme on gifle un insecte en plein vol.

— Tuvio ! lança-t-il.

Un des hommes s'avança d'un pas, brisant le cercle. Cet homme était haut et large de partout, avec un cou de taureau et des mains à éclater des pastèques.

— Je suis là, dit-il.

— Tuvio, reprit Bandit, peux-tu me dire combien de dents il te reste ?

Le colosse fronça ses épais sourcils. Il hésita.

— Euh... Je sais pas trop, Bandit. Quatre, je crois. Cinq, si on compte celle en or du pauvre Arancha que j'ai toujours là, sur mon cœur, dans la blague à tabac.

— Blague à part, fils. Laisse l'or aux morts et dis-moi exactement. C'est d'une extrême importance.

Alors l'autre, sans tarder, enfonça un doigt d'une livre dans son énorme clapoir et se mit à trifouiller à l'intérieur.

— Quatre ! répéta-t-il d'un air triomphant en retirant son doigt. Qu'est-ce que j'avais dit ! Deux en haut, deux en bas. Ça m'suffit. Encore que je leur donne pas huit jours si la baronne continue à nous faire des escalopes aussi tendres que les sabots de mon cheval !

Des rires fusèrent. On sentait que les hommes en avaient besoin ; cette atmosphère, tendue, solennelle, éprouvait leurs nerfs. Bandit n'accorda au géant qu'un mince sourire indulgent. Il se remit en marche, se frottant pensivement le menton, pendant qu'autour de lui la fameuse plaisanterie se répétait de bouche en bouche.

— Très bien, reprit-il soudain – et tout bruit cessa de nouveau, instantanément. Puisque le sort en a décidé ainsi, ce sera donc quatre !

Il se trouvait maintenant à quelques pas de M. Lärsen. Celui-ci n'avait pas remué d'un pouce.

— Détachez-le ! ordonna Bandit. Et relevez-le !

Ses traits, sa voix s'étaient tout à coup durcis. Le juge en avait terminé, le chef de bande reprenait sa place. Tuvio et un autre de ses compagnons tranchèrent les liens du condamné. Puis ils le soulevèrent, littéralement, et le remirent sur pied. En découvrant le visage du cher homme, je faillis une fois encore pousser un cri.

Il avait une expression de totale hébétude, comme quelqu'un que l'on réveille d'un seau d'eau glacée. Ses yeux, agressés par cette impitoyable luminosité, clignaient sans cesse. Une plaie ornait le dessus de son arcade sourcilière. Le sang avait séché mais une longue trace brunâtre barrait sa joue ; une autre descendait de son nez jusqu'au coin de ses lèvres.

L'espace d'un éclair, je revis sa figure telle que je l'avais toujours connue, avec son doux, son bienveillant sourire, son regard où dominaient l'intelligence et la bonté.

Une gigantesque main de glace enserra ma poitrine.

Le pauvre homme avait bien du mal à tenir debout, et plusieurs fois il serait retombé si les deux autres ne l'avaient solidement maintenu de chaque côté.

Bandit, lui, était retourné à son bureau et y prenait appui des deux poings. Une sourde excitation avait gagné les hommes, enflait en eux de seconde en seconde. Ils pensaient peut-être la contenir en ne respirant plus, mais leurs yeux luisants les trahissaient.

Bandit s'empara alors de son revolver et fit brusquement volte-face. Puis il brandit l'arme au-dessus de sa tête et, d'un mouvement circulaire, la présenta au regard de tous.

— Je sais, dit-il, qu'il ne faut pas trop en demander à vos petites cervelles. Mais faites un effort. Ce joujou est chargé jusqu'à la gueule. Six bonnes cartouches à l'intérieur. Si j'en enlève quatre – car c'est le chiffre que m'a donné Tuvio –, combien va-t-il m'en rester ?

Les hommes, décontenancés, échangèrent des coups d'œil entre eux. Bandit demeurait le bras en l'air, attendant une réponse. Enfin, une voix timide proposa :

— Deux ?...

— Bravo, fils ! approuva Bandit. (Puis, avec un large et rusé sourire, il ajouta :) Double tournée générale sur ton compte, à la prochaine escale !

Cette nouvelle fut accueillie comme il se doit, avec force exclamations et sifflets ; seul le bougre qui s'était fait berner maugréait dans sa barbe.

En assistant à cette brève et grossière leçon d'arithmétique, je ne pus m'empêcher de penser à toutes celles que mon cher professeur m'avait enseignées... Cruelle ironie du sort. Personne moins que lui ne méritait ça.

M. Lärsen était-il conscient de la situation ? Se rendait-il compte que son destin était en train de se sceller, et que les rires bruyants qui éclataient tout autour de lui étaient ceux de ses propres bourreaux ?

Bandit savait doser ses effets. Tension, détente, attente, action. Il manipulait son auditoire, le subjuguait. Il amusait la galerie. Il pouvait faire durer longtemps le plaisir, fût-ce aux dépens de la vie d'un innocent.

À plusieurs reprises, au long des années qui suivirent, j'eus l'occasion d'assister à ces mascarades de procès. Non sans dégoût chaque fois. La peine infligée était sans surprise ;

toujours la même – la mort. Seul variait le mode d'exécution. Dans ce domaine, Bandit faisait preuve d'une imagination sans bornes. Et il pouvait se montrer encore plus machiavélique que quiconque aurait osé le croire.

— Deux balles ! répéta-t-il. Deux malheureuses petites balles. Mais chacun sait qu'une seule est largement suffisante pour vous renvoyer en enfer, pas vrai !

Tout en parlant, il fit coulisser le barillet de son revolver. Bien au vu de tous, il délogea, un à un, les quatre projectiles qui étaient en trop et les glissa dans sa poche. Puis il remit le cylindre en place et, d'un coup de patte, le fit tourner sur son axe.

La roue du hasard était lancée.

— Qui veut prendre les paris ?

Personne ne s'y aventura. Le léger bruit de crécelle du barillet cessa bientôt et le silence se fit plus dense que jamais.

Bandit s'avança alors vers le condamné. Il leva lentement le bras et pointa le canon du colt vers le crâne de M. Lärsen. Il en posa l'embouchure au beau milieu de son front, puis demeura quelques secondes ainsi, sans bouger. Cette image restera pour toujours gravée dans ma mémoire : le visage de Bandit à cet instant précis. Une esquisse de sourire étirait ses lèvres et il y avait cette lueur, dans son regard, qui ne pouvait être que celle de la folie.

On aurait dit qu'il aspirait l'âme de sa proie à travers le canon de son revolver.

— Lâchez-le ! ordonna-t-il.

Le colosse et son acolyte s'écartèrent d'un bond, comme si M. Lärsen venait brusquement de s'embraser. Contre toute attente, ce dernier ne s'écroula pas. Ses jambes tremblaient, vacillaient, et tout le poids de son corps semblait ne plus reposer que sur le fin tube d'acier qui le visait. Mais il ne tomba pas.

Bandit arma le chien. Je ne pouvais détacher mes yeux du revolver. Je croyais voir l'index de Bandit presser imperceptiblement sur la détente. Presser… presser… jusqu'au point de rupture. Je ne respirais plus. Mes ongles griffèrent la croûte sèche de la terre et s'y enfoncèrent. À chaque seconde je m'attendais à entendre la terrible détonation qui ferait voler le silence en éclats, et par là même mon univers.

Mais l'attente, l'insupportable attente, se prolongea.

Et puis, tout à coup, quelque chose d'incroyable se produisit. Un de ces tours diaboliques dont Bandit avait le secret. D'un mouvement vif, il saisit l'un des bras ballants de M. Lärsen ; il lui plaqua le revolver au creux de la paume et referma les doigts du vieil homme autour de la crosse. Puis, tout en maintenant fermement le poignet de celui-ci, Bandit pointa cette fois le canon d'acier contre sa propre poitrine. Sur son propre cœur.

Ainsi les rôles semblaient-ils à présent inversés. M. Lärsen tenait l'arme et tenait Bandit en joue. Mais qui, en réalité, était à la merci de qui ?

Une vague murmurante s'éleva parmi la troupe, pour retomber aussitôt. Les hommes eux-mêmes étaient perdus. Ils ne savaient plus. Ils ne comprenaient plus.

Bandit ne leur prêta aucune attention. Il fixait M. Lärsen. Son étrange et frêle sourire avait disparu. En revanche, la lueur de démence au fond de ses prunelles s'était transformée en un véritable brasier. Un incendie illuminant la face obscure de son âme, et capable de tout ravager sur son passage.

Il reprit la parole, d'une voix sourde et grondante.

— C'est ta chance... fit-il. C'est ta seule et unique chance. C'est ta dernière chance. Tu sais ce que dit la loi, vieillard. Alors, ce sera toi ou moi. Il n'y a pas d'autres choix possibles !

Il se tut, resserrant davantage encore ses mâchoires dont les muscles saillaient à travers la peau. D'interminables secondes défilèrent. Puis, pour la première fois depuis le début, un soupçon de vie parut animer M. Lärsen. Tout doucement, celui-ci releva la tête. Les deux hommes se dévisagèrent longtemps. Moi-même, à travers le regard de mon cher maître, je pouvais deviner l'effroyable chaos qui régnait à ce moment dans sa conscience. En ne lui offrant pas d'autre alternative que de prendre une vie ou d'y laisser la sienne, Bandit avait sans doute choisi pour M. Lärsen le plus perfide, le plus cruel des supplices.

Il ne m'était pas difficile de comprendre le dilemme qui torturait mon maître. En mon for intérieur, je priais pour qu'il tire, pour que le coup parte et qu'on en finisse, mais j'espérais tout à la fois qu'il ne le ferait pas ; car je savais qu'il aurait alors à supporter, pour le restant de ses jours, le poids de cet acte irrémédiable. Et qu'il ne s'en remettrait pas.

Non. Ce que j'attendais, dans le fond, c'était un miracle. Quelque chose comme un éclair déchirant le ciel et qui viendrait foudroyer, châtier Bandit – cette créature qui était la source de nos malheurs. Quelque chose comme l'expression de la justice divine.

Mais il faut croire qu'il y a des endroits sur Terre oubliés de Dieu. Ces minutes eussent pu durer une éternité, aucun miracle n'aurait eu lieu. Ici, aux confins de nulle part, on ne pouvait compter que sur soi-même : telle fut ma première leçon, l'un des principes fondamentaux de mon nouvel apprentissage. Et M. Lärsen, s'il ne le savait déjà, l'apprit en même temps que moi.

Le vieil homme avait pris sa décision. Sa main qui tenait le revolver fut secouée d'un infime tremblement. Il referma subitement les paupières et, de son index crispé, appuya sur la détente.

Rien ne se produisit qu'un léger cliquetis. Le claquement sec du métal heurtant le métal. Qui n'était pas sans rappeler le bruit de l'aiguille basculant soudain sur la dernière heure, tant redoutée. L'heure du départ.

Alors le temps s'arrête. Et les battements du cœur.

La troupe, comme un seul homme, laissa échapper un puissant soupir. M. Lärsen garda les yeux fermés. Sa tête retomba mollement sur sa poitrine. Ses doigts se relâchèrent et, tout au bout de sa main, l'arme se mit à pendre.

Bandit n'avait pas bronché. N'étaient ses pupilles flamboyantes et les ailes de son nez qui palpitaient comme celles d'un chien d'arrêt, on aurait pu le prendre pour un monstrueux totem de chair dressé en plein désert, sur la route des égarés.

Enfin, ses lèvres s'entrouvrirent. Dans un murmure, il souffla :

— Perdu…

Puis, non sans une certaine douceur, il récupéra le revolver. De nouveau il en dirigea le canon vers le front de M. Lärsen. À fleur de peau. De nouveau il releva le percuteur. Ma gorge se serra. Là-haut, un des busards lança ce cri qui m'était refusé. Peut-être le signal, qui sait ?

Alors Bandit, à son tour, tira.

Longtemps je me suis demandé si les dés n'avaient pas été pipés. Si Bandit, au cours de ce dramatique épisode, n'avait pas triché d'une manière ou d'une autre, à notre insu, en employant je ne sais quel subterfuge de prestidigitateur. Ou bien s'il avait réellement pris ce risque insensé, s'il avait sciemment mis en jeu sa propre vie comme celle de M. Lärsen. En toute équité.

Deux chances sur six, avait-il dit. Une chance sur trois.

Avec le recul, j'ai fini par admettre qu'il l'avait véritablement fait. Sans tromperie. J'ai fini par comprendre que le danger qu'il courait à ce moment-là n'était guère plus grand que tous ceux qu'il courait chaque jour et chaque nuit, à chaque instant. Pour ces hommes, pour Bandit en particulier, le simple fait de survivre dans ces contrées – et selon leur désir – était un pari. Tout leur était hostile. Tout était ennemi. La mort elle-même, pareille aux noirs oiseaux de proie, planait en permanence dans leur ciel, prête à fondre sur eux à la moindre faiblesse. Il fallait défier la mort. La provoquer. Il fallait la combattre. Il fallait lui cracher à la gueule et lui imposer sa loi. Il fallait se montrer le plus fort.

Leur liberté était à ce prix.

Du moins était-ce ainsi qu'ils concevaient les choses, d'une façon sans doute plus instinctive que réfléchie.

Bandit avait tiré à bout portant sur le vieil homme. Sans faillir. Sans ciller. Mais pour la seconde fois, le percuteur avait frappé dans le vide. Le coup n'était pas parti. Le petit clic métallique avait pourtant résonné sous la voûte de mon crâne comme une déflagration assourdissante. Il m'arrive encore, certaines nuits, de l'entendre et de me réveiller en sursaut, couvert de sueur. Cela fait partie des sons qui me hantent – les cliquetis des chaînes que traînent mes fantômes.

M. Lärsen était toujours en vie. Le silence sifflait à présent à mes oreilles comme, j'en suis persuadé, aux oreilles de tous. Personne ne bougeait et durant une poignée de secondes la scène sembla figée dans cette inertie quasi irréelle.

Il fallut le rire de Bandit pour la briser. Un rire puissant, démentiel, qui prit naissance au fond de ses entrailles, qui secoua sa poitrine, qui se fraya un passage entre ses lèvres retroussées en un rictus de bête, et qui explosa enfin comme un volcan, à la face du soleil.

Toute la troupe le suivit dans cette voie. Délivrance. Cela me fit l'effet d'une bande de démons jaillissant soudain d'une caverne de l'enfer et s'égayant au grand jour. Ce n'est qu'à ce moment-là que j'eus peur, vraiment peur, pour ma propre vie. Je réalisai tout à coup dans quel péril je me trouvais et une violente angoisse m'étreignit. Qu'allait-on faire de moi ? Devrais-je subir la même terrifiante épreuve que mon cher maître ? Pour la première fois également, je songeai à mes parents. Je ne savais pas ce qu'il était advenu d'eux. Je ne les voyais nulle part autour de moi, et... et...

Le fil de mes pensées se dénoua brusquement. Mon esprit repartait à la dérive. Dans une sorte de flou, et tandis que les salves de rires allaient toujours croissant, j'aperçus le corps de M. Lärsen qui s'affaissait. Ses jambes ne le portaient plus. Il retomba d'abord à genoux, puis sur le flanc. Sa joue s'écrasa dans la poussière. Nul ne fit le moindre geste vers lui.

Alors, à mon tour, je cessai de lutter. Je n'aspirais plus qu'à une chose : me réfugier dans le confort de l'inconscience. Avant que mes yeux ne se referment, j'eus le temps d'entrevoir celui, unique et narquois, de Sox le chien. Rivé sur moi. J'aurais juré que mon ange gardien souriait.

2

Les astres sont des vaisseaux

La nuit.

Je m'éveillai au cœur du cosmos. Baignant dans l'onde d'un lac obscur, profond, dont les rives étaient semées de rinceaux d'étoiles. Je reconnus les constellations du Cygne et du Dragon. Celle du Lynx. Je me laissais porter de l'une à l'autre, au gré des courants. J'étais bien. J'étais bien…

Hélas, l'illusion ne perdura pas. Le ciel était immense, c'est vrai. Magnifique. Et innombrables les étoiles. Cependant, c'était bel et bien sur un terrain solide et rugueux que j'étais étendu. Loin du firmament.

Je basculai d'un bloc dans l'âpre réalité. Un choc. Tout mon corps me faisait souffrir. Ma chair, mes os. Mon estomac était serré comme un poing. Ma langue me paraissait lourde et gonflée. À l'intérieur de ma boîte crânienne, une invisible masse cognait à coups sourds et répétés, et la digue de mon front menaçait de rompre. Mais je ne pouvais pas m'évanouir à la commande. Il n'était plus question de fuite dans le néant, plus question de baignade interstellaire. Le ciel n'était que le ciel au-dessus de nos têtes. Un leurre somptueux. Je ne devais rien en attendre. Je devais faire face. Seul.

Pendant de longues minutes, allongé sur le dos, je m'astreignis à retrouver une respiration calme et régulière, à assouplir mes membres ankylosés, un à un, à délier mes articulations et mes muscles depuis mes orteils jusqu'à ma nuque. Cela finit par payer : peu à peu je retrouvai des sensations autres que la douleur.

Durant tout ce temps, je dus chasser sans relâche les funestes pensées qui m'assaillaient au sujet de mes parents et de M. Lärsen. Je refusais de céder de nouveau à l'apitoiement ou à la crainte. J'étais décidé à agir, à tenter quelque chose, fût-ce l'impossible. M'échapper : tel était désormais mon unique objectif. Ma seule chance de salut. Je n'avais aucun plan, mais je tenais à être paré au cas où l'occasion se présenterait.

Dans le camp régnait une sorte de brouhaha permanent, duquel jaillissait parfois quelque clameur, quelque interjection tonitruante. Et toujours ces rires sonores qui roulaient sous la voûte céleste. Une atmosphère de liesse. Me parvenaient aussi des relents de fumée et la délectable odeur de la viande grillée. Apparemment, la troupe prenait du bon temps. C'était peut-être le moment d'en profiter.

Lorsque je me sentis à peu près d'attaque, je roulai sur le côté afin d'étudier tout ça.

Un feu brûlait. Le foyer étalé sur une large surface, vaguement circonscrit par de gros cailloux qui auraient pu être des fragments de météorites atterris là par hasard. Les flammes étaient courtes, nerveuses, se tordaient parfois comme des pointes d'étendard sous le vent. Pourtant il n'y avait toujours pas un souffle d'air.

Le gros de la troupe se tenait là. Je vis des ombres dressées à contre-jour devant le feu, si noires qu'on les aurait dites sculptées dans la matière même de la nuit. Je vis à l'opposé des faces hilares et rutilantes, des gueules béantes, des yeux fiévreux. Certains étaient debout, bien campés sur leurs jambes. Certains tanguaient. Certains étaient assis par terre, figés dans l'austère et méditative apparence des divinités de marbre. Silence. Impassibilité. Ceux-là vaquaient déjà par l'esprit hors de toutes frontières tracées, en des contrées encore plus aléatoires. Certains étaient avachis contre la selle de leur cheval. Sans cheval. Certains vautrés à l'endroit même où ils étaient tombés, cuvant dans leur sommeil, et ronflant et bavant.

L'alcool. Le whisky avait remplacé le thé. Je vis des flacons passer de main en main et de bouche en bouche. Je vis un homme tendre à bout de bras au-dessus des flammes une tige de fer sur laquelle un serpent était empalé. La broche traversait le reptile de part en part sur toute sa longueur comme si c'était lui qui essayait de l'avaler. Je vis un homme planter ses crocs dans la maigre carcasse d'un lièvre. Les pattes raidies de l'animal. La chair presque carbonisée. Je vis l'homme cracher les os dans la braise.

Mille morceaux, mille détails d'un même vivant tableau, et qui s'imposèrent à moi comme autant d'hallucinations. J'étais fasciné. Au point que je mis du temps avant de réaliser qu'il manquait une pièce essentielle à cet ensemble. Une absence de marque qui aurait dû me frapper d'emblée : celle de Sox le chien.

Nulle trace de lui dans les proches parages. Et nul autre cerbère, semblait-il, pour le remplacer. La surveillance s'était relâchée. Ce constat déclencha une secousse en moi, un vif frisson qui irradia par toutes les fibres de mon corps et m'ébranla. Réflexe. Sans plus réfléchir, je sautai sur l'occasion.

Si l'on peut dire... car jamais, sans doute, aucun prisonnier ne prit la fuite aussi lentement que moi. Ce n'est qu'avec d'infinies précautions que je glissais au ras du sol, à reculons, millimètre par millimètre. Un prédateur à l'affût n'aurait pas mieux fait. J'aurais voulu me confondre avec la terre, avec l'ombre. La peur me tordait les entrailles et j'avais l'impression que les coups redoublés de mon cœur pouvaient s'entendre jusqu'à l'autre bout du continent. Néanmoins, je continuais. Je progressais. Insensiblement, la distance qui me séparait de la troupe se creusait. Je m'éloignai ainsi d'une dizaine de pas. Puis d'une vingtaine. L'espoir renaissant au fond de moi et fleurissant au fur et à mesure, dans les mêmes proportions.

Il y avait sur le côté deux chariots bâchés. Mon but était d'atteindre le plus proche, à l'arrière duquel j'avais repéré une paire de chevaux attachés. Le plus difficile était de ne pas céder à la précipitation. Je mourais d'envie de me redresser sur mes jambes et de courir et de sauter en selle. Je me voyais déjà au grand galop dans les étendues désertes, l'air fouettant mon visage. Devant moi l'horizon dégagé; derrière moi le feu de camp bientôt réduit à une unique flammèche vacillant dans la nuit; un phare miniature, incertain; une poussière d'étoiles parmi tant et tant de poussières. Puis plus rien. Plus de feu. Juste la vitesse et le vent.

J'avais réussi! J'étais libre!

J'étais fou d'y croire... Rêve éveillé. Frêle esquif de mon espoir, dont la coque se brisa net contre l'écueil de deux mollets. Ceux de la jeune fille. Je venais de pivoter quand ils furent soudain là, devant mon nez – une fraction de seconde auparavant, ils n'y étaient pas.

Je m'étais échoué à ses pieds.

Tout de suite je reconnus le bracelet qui ceignait l'une des délicates chevilles. La lune jetait juste ce qu'il fallait de clarté pour faire ressortir la blancheur de ces curieux petits pendants. Malgré moi, je me fis la réflexion qu'il ne s'agissait ni de pierres, ni de perles, ni d'os… mais plus vraisemblablement de dents. Une rangée de minuscules dents plus blanches que du lait.

Mais cette pensée ne fit que me traverser l'esprit ; une autre aussitôt la remplaça, celle-ci beaucoup plus envahissante et terrifiante : c'était la fin !

Fin de mon court voyage. Fin de tout. Ma piètre tentative s'était soldée par un échec et j'étais persuadé que jamais je ne verrais la prochaine aube se lever. Dans le creux de mon oreille, Bandit souffla : « Perdu ! »

« Perdu… perdu… perdu… »

Oui, je crus réellement entendre l'écho de sa voix. Et la formidable main de glace, à nouveau, resserra son étreinte autour de moi.

J'étais paralysé. Je n'osais même pas relever la tête. Je sentais le regard de la jeune fille peser sur ma nuque. La panique commençait à me gagner à l'idée de ce qui allait arriver lorsqu'elle aurait donné l'alerte. Lorsqu'elle aurait rameuté la troupe. Déjà j'imaginais les hommes rappliquant à la hâte et m'encerclant. Ceux qui tenaient encore sur leurs jambes. Ces barbares, ces ogres débraillés et braillards, ivres d'alcool, ivres de rage. Ils voudraient du sang. De la chair fraîche à rôtir. Qui pouvait savoir ce dont ils étaient capables ?

Ce n'était plus maintenant qu'une question de secondes, peut-être moins. J'attendis en priant pour que mon calvaire fût le plus bref possible.

Mais les secondes se succédèrent et rien ne se passa. Aucun appel ne retentit. Aucun signal. Les pieds nus étaient toujours posés devant moi exactement à la même place et seul le brouhaha de la troupe emplissait l'air nocturne. Finalement, je pris appui sur un coude et levai les yeux vers la jeune fille.

Vers Paloma.

C'était la deuxième fois qu'elle m'apparaissait. Pourtant ce fut pour moi comme une révélation. Ce fut... ce fut... Oh ! mon ange, je ne te l'ai jamais dit ! Je ne t'ai jamais dit ce que j'ai pu ressentir à cet instant !... Mais comment décrire, comment ne pas ternir par les mots tant de beauté, tant d'harmonie, tant de grâce ? Tant de force aussi. D'un seul coup, en te voyant, j'oubliai la peur et l'angoisse, j'oubliai le danger et jusqu'à ma misérable position. D'un seul coup il n'y avait plus que toi. Ton éclat dans la nuit. Tu m'as ébloui, Paloma. Tu m'as ouvert le cœur et l'âme et ta lumière brûle toujours au plus profond de moi... Est-il trop tard pour te le dire ? J'espère que non. Où que tu sois, mon ange, où que tu sois j'espère que tu m'entends. J'espère que tu le sais. Que tu l'as toujours su...

La jeune fille me toisait. Elle avait ce regard auquel rien ne se pouvait soustraire. Les furtifs reflets des flammes léchaient parfois sa peau cuivrée, effleuraient comme des ailes d'étourneaux sa longue chevelure noire. Elle était belle, oui. Merveilleusement belle et vivante.

Elle garda encore un moment le silence, puis elle lâcha :

— Tu rampes.

J'en fus abasourdi. Ma bouche s'ouvrit toute seule, comme pour happer l'air. De mon gosier à sec ne réussit à s'extirper qu'un indistinct et lamentable coassement. Elle répéta :

— Tu rampes.

Plus que les mots eux-mêmes, l'intonation de sa voix me fit mal. J'y décelai de la déception et quelque chose qui ressemblait à du mépris. Avant que j'eusse pu réagir, elle enchaîna :

— Où espères-tu aller comme ça ? Par ici, il n'y a rien. Par là non plus. Par là encore moins. Avant qu'il fasse jour, les coyotes t'auront dévoré. Ils ne s'en prennent qu'aux proies faciles. Il ne restera rien de toi, pas même tes os. Tu sais ce que c'est que d'être affamé ?... Non. Tu ne sais rien.

Brusquement, elle se baissa et posa par terre sous mon nez un bol et une écuelle.

— Tiens, fit-elle. On m'a chargée de te nourrir.

Eût-elle voulu me blesser, m'humilier, qu'elle ne s'y serait pas prise autrement. Chacune de ses paroles était une flèche à la pointe acérée, chargée de venin. Et chacune atteignit sa cible.

Elle demeura accroupie devant moi, guettant sans doute l'instant où je me jetterais sur ma pitance comme le dernier des miséreux. Je ne lui fis pas ce plaisir. Je ne fis pas non plus la bêtise de tout envoyer valdinguer. J'aurais avalé n'importe quoi tellement la faim et la soif me tenaillaient. Néanmoins, j'eus la force de résister. Mon orgueil était bafoué, attisée ma colère. Je serrai les dents et, sans bouger, soutins le regard de cette splendide effrontée.

Je ne sais combien de temps nous nous affrontâmes ainsi. Mais peu à peu je vis les traits de son visage s'adoucir.

L'ombre d'un sourire affleura à ses lèvres... La maligne ! La rusée ! Je compris soudain qu'elle venait d'obtenir, en réalité, exactement ce qu'elle souhaitait. La réaction que j'avais eue n'était rien d'autre que celle qu'elle espérait de ma part, celle qu'elle avait volontairement provoquée par son attitude et ses paroles.

Il semblait que j'étais remonté d'un cran dans son estime. Et Mademoiselle s'en trouvait satisfaite. Elle se redressa et émit un discret sifflement. Aussitôt, surgi lui aussi de nulle part, Sox le chien fit sa réapparition. Il avançait sans hâte, l'œil fixé sur moi, avec toujours au fond de la pupille cette lueur d'ironie. Mordante. Ces deux-là avaient l'air de deux complices qui m'auraient joué un bon tour. Le chien s'arrêta au côté de la jeune fille. Alors celle-ci, sans un mot de plus, fit demi-tour et s'évanouit dans l'obscurité.

Le moins que l'on puisse dire, c'est que j'étais dérouté. Mais l'heure n'était plus aux réflexions ni aux sentiments : d'une brutale contraction, mon estomac me rappela à l'ordre. Dès que je fus à peu près certain que ma douce tortionnaire n'était pas cachée dans un coin à m'épier, je me jetai sur la nourriture. D'un trait je bus ma ration d'eau, manquant m'étouffer, puis plongeai à pleines mains dans une espèce d'épaisse purée de pois dont je me remplis goulûment la bouche.

Si ma chère mère m'avait vu ! Elle qui se désolait toujours de mon manque d'appétit, des efforts auxquels je devais m'astreindre pour seulement goûter les plats du bout des lèvres ! À cet instant, je n'étais ni plus ni moins qu'un animal vorace. Mais seul Sox en fut témoin.

En deux minutes tout était avalé, nettoyé. Après quoi, je me laissai de nouveau aller sur le dos et plongeai les yeux dans l'immensité du ciel. C'était vraiment un spectacle grandiose. Et c'était un privilège que de pouvoir y assister. J'eus en effet cette impression étrange qu'une confidence, un secret m'était enfin dévoilé, pour la toute première fois. Longtemps j'observai les étoiles en me demandant laquelle, parmi ces milliers, ces millions, laquelle m'était destinée.

Et puis, au milieu de ce champ fertile et infini, je vis éclore un nouvel astre. Je le vis grossir et s'étaler jusqu'à envahir tout l'espace devant moi. Je vis se dessiner ses contours, s'affirmer ses traits. Son sourire. L'inaltérable éclat de ses yeux noirs. Mon astre.

Je connaissais maintenant ton visage.

Mais j'ignorais encore ton nom, Paloma.

Ainsi s'écoula la première nuit. Vinrent l'aurore et tout de suite la puissante chaleur qui semblait monter du sol même, tel un nuage de vapeur. Dans le camp, la clameur s'était tue. La plupart des hommes dormaient, assommés par la fatigue et l'alcool. Leurs corps jetés par terre en vrac ici ou là. Je songeai à un champ de bataille après la bataille. Le feu éteint, plus de flammes, rien que des cendres tièdes. De temps en temps le hennissement feutré d'un cheval.

Un seul homme se tenait debout. Un peu à l'écart, parfaitement immobile. Je reconnus Bandit. Il tournait le dos à la troupe. Sa silhouette se découpait dans la pâle lueur du jour naissant. Le frêle filet de fumée de son cigare s'élevant au-dessus de lui. Regard porté vers l'est, vers l'horizon. Il avait l'air d'attendre. Qui ? Quoi ? Une réponse ? Peut-être simplement un peu de baume pour apaiser ses tourments – ce mal qui le rongeait de l'intérieur.

Je n'ai pas souvenir d'avoir jamais vu Bandit dormir.

Les femmes furent les premières à se mouvoir. Quatre ou cinq se mirent à circuler aux alentours du foyer afin de réveiller les hommes. Elles le firent sans ménagement, aboyant, secouant les corps avachis, les bourrant au besoin de coups de talon. Les hommes grognaient et râlaient. Les hommes renâclaient. Mais l'un après l'autre ils finirent tous par se relever.

La vie reprenait. On prépara de la soupe et du café, auxquels je n'eus pas droit. Nul ne m'adressa la parole. Nul ne me prêtait attention sinon mon fidèle gardien à poil ras. Durant près d'une heure, chacun s'affaira de son côté, pour ce qui me paraissait être les préparatifs du départ.

Enfin, un des hommes se présenta devant moi. Un grand type à la figure allongée et sans aucune expression, que l'on appelait le Muet. Il me fit signe de le suivre, puis de grimper à l'arrière d'un des chariots. Je m'exécutai.

La matinée n'était guère avancée lorsque nous levâmes le camp. Les hommes avaient retrouvé leurs montures. Quelqu'un lança une sorte de hululement et le convoi s'ébranla.

Pour quelles raisons m'avait-on épargné ? Mystère. Je n'avais aucune idée non plus de l'endroit où nous allions ni de ce qui m'attendait. Tandis que nous nous éloignions, j'écartai la toile du chariot et risquai un œil vers l'arrière. Tout ce qui restait sur l'emplacement du bivouac, désormais désert, était le corps de mon cher M. Lärsen. Abandonné. Gisant dans la poussière.

C'était la dernière fois que je le voyais.

Les larmes longtemps retenues jaillirent alors sous mes paupières. Plus qu'un ami, plus qu'un père spirituel, j'eus l'intuition que c'était mon enfance tout entière que je laissais définitivement derrière moi.

3

Les enfants sont des survivants

J'avais passé les premières années de ma vie à attraper des microbes. Je les collectionnais. Enfant chétif, souffreteux. De santé délicate depuis mon plus jeune âge. Ma chambre plongée quasi en permanence dans la semi-pénombre. On avait vite pris l'habitude de parler à voix basse autour de mon lit. Comme au chevet d'un mourant. C'était peut-être l'idée à laquelle on avait fini par se soumettre : les mois, les jours m'étaient comptés. La jeune pousse, trop fragile, n'atteindrait jamais sa maturité. Tout doucement, on se préparait à l'inéluctable…

Pourtant, j'étais toujours là.

J'ai dû ingurgiter une quantité astronomique de potions et de remèdes. J'ai suivi des cures de toutes sortes. On a fait tremper mon corps dans des sources de toutes natures et de toutes températures : eau chaude, eau froide, eau salée, eau plate, eau gazeuse, eau ferrugineuse ; on l'a enduit, mon corps, d'algues ou de boue, de moutarde ou de fiente de goélands ou d'autres onguents encore plus iconoclastes. Tout cela préconisé, bien entendu, par la pléthore de médicastres que j'ai vus se succéder au fil du temps, chacun plus vaniteux et plus onéreux que le précédent. À n'en pas douter, j'ai souvent servi de cobaye à la Science.

Mon Dieu, quand j'y songe !

Puis-je dire que j'ai manqué d'attention ?

Mes parents étaient riches. Mon père était un haut fonctionnaire. Je ne saurais être plus précis. C'était en tout cas un métier absorbant, qui ne lui laissait guère le loisir de me voir. La plupart du temps, il était ailleurs. En déplacement. En mission. Je me souviens pourtant de quelques fois où il m'a rendu visite. C'était le soir, à la nuit tombée. Il entrait dans ma chambre. Si une tierce personne s'y trouvait déjà, celle-ci s'éclipsait aussitôt pour nous laisser seuls, lui et moi. Mon père s'approchait. Il portait un costume blanc. Je le trouvais beau. Il m'intimidait. Il s'asseyait au bord du lit où j'étais étendu. Il restait un long moment silencieux, à me regarder. Puis il demandait : « Comment te sens-tu, aujourd'hui, mon garçon ? » Sa voix était chaude et profonde. Invariablement, je répondais : « Ça va mieux, père. Beaucoup mieux. » Témoin le timide sourire que je m'efforçais de lui présenter. Toute autre réponse m'eût semblé inconvenante. J'avais un peu honte. J'estimais qu'il avait déjà bien assez de soucis pour ne pas en rajouter avec ma santé. Il hochait alors plusieurs fois la tête, l'air grave, les lèvres légèrement pincées, pour me signifier qu'il n'était pas dupe mais qu'il appréciait mon courage. « C'est bien, disait-il. C'est bien... » Puis il me tapotait le dos de la main avant de se relever.

J'aurais aimé qu'il reste, longtemps. J'avais hâte qu'il reparte.

Chaque fois qu'il quittait ma chambre, j'avais la sensation d'avoir raté quelque chose. Par ma faute. Parce que je n'avais pas su me montrer digne de ce quelque chose. Parce que je ne l'avais pas assez mérité.

J'avoue aussi qu'à deux ou trois reprises, lors de ces visites, j'ai feint d'être assoupi.

Presque chaque année, nous déménagions. Mon père changeait de poste, de ville, de pays. Ses fonctions devaient être de plus en plus hautes si l'on en juge par le nombre de domestiques que nous employions. Un nombre toujours croissant, en parallèle avec celui des invités de ma mère. Donner des dîners, des bals, était en effet sa principale occupation. Et son talent dans ce domaine n'était pas sans rapport, me semble-t-il, avec la fulgurante ascension de mon père dans sa carrière.

Les jours de grande réception, la maison entrait dès la première heure dans une incroyable effervescence qui sourdait à travers les murs de ma chambre. Je me faisais l'effet d'être à l'intérieur d'un œuf plongé dans une marmite d'eau bouillante. Je percevais la nervosité des bonnes ; je surprenais parfois leurs messes basses au sujet de telle ou telle prestigieuse personnalité qui nous ferait l'honneur de sa présence. Elles semblaient impressionnées. Les noms qu'elles lâchaient dans un souffle presque coupé n'évoquaient rien pour moi. Je ne connaissais pas ces gens. J'étais un étranger dans ma demeure.

Ma mère, je la voyais plusieurs fois par jour. En coup de vent. Ses soudaines irruptions me faisaient sursauter. Elle allait d'un coin à l'autre de la pièce, d'un pas vif, lançant des ordres aux deux domestiques qui étaient dans son sillage et qui avaient bien du mal à suivre. Sa robe froufroutait à chacun de ses gestes. J'avais à peine le temps de me redresser sur mon oreiller. Elle était déjà sur moi, elle se penchait, ses lèvres effleuraient mon front, baiser du matin, baiser du soir, esquisse, espoir, son parfum flottait encore dans l'air longtemps après qu'elle était repartie.

Mes parents m'aimaient à leur façon. Je les aimais aussi.

Je pense avoir vu défiler, au cours de ces années, autant de docteurs que de gouvernantes. Les visages changeaient. Le décor changeait. Les lieux, les maisons. Mon seul véritable point de repère dans ce tourbillon était M. Lärsen. Je n'avais pas cinq ans lorsqu'il était entré dans mon existence ; dès lors, il ne m'avait plus quitté.

Ma santé m'interdisait de suivre une scolarité normale. En revanche, même si je ne devais pas faire de vieux os, il était inconcevable qu'on ne me donnât pas une instruction digne de ce nom – je ne devais pas mourir idiot. D'où cette solution d'un précepteur à demeure. Le premier fut le bon.

J'ignore dans quelles circonstances exactes mon père avait fait sa connaissance, toujours est-il qu'il l'avait un jour ramené dans ses bagages. Pour mon plus grand bonheur. M. Lärsen était originaire d'Europe du Nord. Sous des allures de pasteur, un brin austère, il était autant un homme d'esprit que de cœur. Apprendre, avec lui, n'était ni un labeur ni une corvée, c'était un pur plaisir. D'ailleurs, il n'hésitait pas à faire le pitre à l'occasion. Je me souviens en particulier de ses irrésistibles imitations de Don Quichotte de la Manche – Chevalier à la Triste Figure. Je crois bien qu'il a été le premier à me faire rire aux éclats. Et je n'aimais rien tant que ses lectures à voix haute.

M. Lärsen m'accompagnait absolument partout. À la maison comme dans les divers établissements thermaux que j'ai fréquentés, il était toujours présent, à mes côtés. Immuable.

Il avait réussi à convaincre ma mère des bienfaits de la promenade au quotidien. Aux beaux jours, nous arpentions tous deux les allées des jardins, son pas s'adaptant au mien. Nous bavardions. Nous parlions de tout. Nous avions le temps.

Plus que l'orthographe ou l'algèbre, plus que n'importe quelle autre matière, c'était la vie elle-même que M. Lärsen m'enseignait. Tout au moins, la vie telle qu'il la concevait.

Cher homme. Qui pourra jamais mesurer sa réelle contribution à ma « résurrection » ?

De fait, mon état de santé s'améliorait. Au lieu de m'enfoncer davantage vers les abysses, ainsi qu'on me l'avait prédit, je remontais lentement à la surface. Les microbes se lassèrent, s'en allèrent prospecter ailleurs. Les volets de ma chambre s'ouvrirent. Je pris un peu de poids et de couleurs. Je délaissai mon lit. J'étais encore loin d'être un enfant plein d'entrain et de vigueur, mais je me remettais sur pied. Je tenais debout. Et l'on finit par admettre que j'étais sans doute sauvé.

S'ensuivit alors ce que j'appellerais une période de stabilisation. Durant près de trois années consécutives, nous demeurâmes au même endroit. Aléas de la carrière administrative. Je suppose que mon père avait atteint l'un des ultimes degrés de l'échelle et qu'il devait désormais prendre patience avant de conquérir le sommet.

C'est à cette époque que je fis la connaissance de Mozart et de Vivaldi, de Shakespeare, de Molière, de Goethe. Grâce, toujours, à la discrète mais efficace influence de M. Lärsen, mes parents m'autorisèrent en effet à les accompagner régulièrement au théâtre. Comme tous les gens de la bonne société, nous y avions notre loge réservée. Les soirs de représentation, on m'habillait tel un petit prince, véritable doublure miniature de mon père. Un brin ridicule, certes, mais je n'en avais cure. Contrairement à bon nombre de ces beaux messieurs et de ces belles dames, je n'allais pas au spectacle dans le seul but de parader sous les lustres. Opéras, comédies, drames : tout me plaisait, sincèrement, tout me transportait, tout me parlait, la musique, les vers, merveilleux langage que mon âme comprenait. Dès que le rideau s'ouvrait, je pénétrais sans retenue aucune dans un autre monde, une autre sphère, qui n'avait rien pour moi de factice ni de fictif. J'y croyais. J'y étais. Et j'adorais ça.

Ces années-là conservent une place à part dans ma mémoire. Ce fut un îlot de quiétude et de sérénité. Ce fut, un matin de printemps, cet instant délicieux où le soleil triomphe de l'averse.

Mais rien ne dure.

Cette période s'acheva précisément le jour où mon père fut enfin nommé gouverneur. Jour de gloire et de misère à la fois, qu'il m'arrive tantôt de bénir, tantôt de maudire.

Nous dûmes donc repartir, avec armes et bagages, pour la énième fois. Je ne pouvais pas m'en douter mais ce serait la dernière. M. Lärsen était lui aussi du voyage.

Le cadeau que l'on avait fait à mon père était empoisonné. Il en était conscient. Du moins, jusqu'à un certain point. Cette province, qu'il aurait dorénavant à charge de gouverner, était une véritable plaie pour les autorités du pays. Peu peuplée en regard de sa superficie, elle était constituée en majeure partie de terres incultes, arides, sauvages. Et les hommes qui la hantaient étaient forgés à son image. Des rebelles. Des insoumis. Depuis longtemps, l'anarchie y régnait. Pour ne pas dire le chaos. Les pires bruits couraient à ce sujet : on parlait de pillages, de massacres et d'autres horreurs à faire frémir. Rumeurs, légendes, ou vérités ?... Nous allions bientôt le vérifier.

La tâche que mon père s'était vu confier était de rétablir l'ordre dans cette région et d'y faire respecter la loi commune et souveraine – celle de l'État. Beaucoup, avant lui, s'y étaient cassé le nez ; mais il en fallait plus pour le décourager.

Nous prîmes demeure dans la ville principale, qui ne comptait que quelques milliers d'habitants. Je notai au passage, avec une certaine déception, qu'il n'y avait rien dans les environs qui ressemblât de près ou de loin à une salle de théâtre. Si l'on devait en croire un des notables qui nous accueillirent sur place, les spectacles y étaient pourtant fort nombreux.

« Rixes, attaques, règlements de comptes, pendaisons publiques : faites votre choix ! lança cet exubérant personnage. Si, avec tout cela, le peuple manque encore de distractions !... D'ailleurs, savez-vous comment les habitants eux-mêmes surnomment leur charmante contrée ? ajouta-t-il à l'attention de ma mère. Eh bien, ils l'appellent tout simplement : le Ventre du Diable... Bienvenue parmi nous, chère madame ! »

L'homme était passablement ivre – il l'était du matin au soir – et ma mère décida sur-le-champ de le rayer à titre définitif de la liste de ses invités.

Ce qui n'empêche qu'il disait vrai.

Mon père, comme à son habitude, prenait son rôle très à cœur. Il passa les premières semaines en ville afin de s'occuper des affaires les plus urgentes et de mettre en place sa propre méthode. Son intention était de procéder à des remaniements « en douceur, mais en profondeur », ainsi qu'il le disait lui-même.

Vers la fin du second mois, il jugea qu'il était temps de s'intéresser au reste de la région et souhaita faire le tour du territoire. Le commandant de la garnison locale tenta d'abord de l'en dissuader, objectant que les routes étaient sillonnées par des hordes de hors-la-loi extrêmement dangereux. Mon père n'en voulut pas démordre. Le commandant insista alors pour le faire accompagner par une bonne moitié de son régiment – pas loin d'une centaine d'hommes au total ! Mon père refusa tout net. Dans son esprit, il s'agissait moins d'une tournée d'inspection que d'une simple visite, informelle, voire amicale, destinée à prendre contact avec la population. Il profita même de ce moment pour annoncer à son interlocuteur que son épouse et son fils (autrement dit : ma mère et moi) feraient partie de l'expédition. Le pauvre commandant faillit en dégringoler de sa chaise. Après moult discussions, ils finirent par se mettre d'accord pour une escorte d'une douzaine de soldats. Les plus braves, les plus aguerris, selon le commandant.

Malgré les conseils et mises en garde de celui-ci, je ne pense pas que mon père ait vraiment cru en la réalité du danger qui nous guettait. J'en suis même sûr : sinon aurait-il fait courir de tels risques à sa famille ?

On ne peut pas dire que ma mère bondit de joie en apprenant la nouvelle, mais elle se rendit aux arguments de son mari. Pour ma part, en revanche, j'étais ravi. Ce projet venait à point pour combler ma curiosité et ma vigueur naissante. J'insistai pour que l'on emmenât également M. Lärsen, et obtins gain de cause. Malheur à moi ! Cela reste peut-être le plus grand remords de mon existence.

On mit donc à notre disposition une diligence ainsi que l'escouade promise, composée de douze vaillants soldats. Nous prîmes la route par une claire matinée de mai. L'expédition avait été minutieusement préparée par les soins du commandant. Elle devait durer une dizaine de jours. Elle s'acheva, de la plus brutale des manières, au matin du quatrième.

Jusque-là, il n'y avait eu aucun incident à signaler. Nous passions le gros de la journée à parcourir à une allure soutenue des paysages désolés. Les pauvres hères qu'il nous arrivait parfois de croiser ressemblaient plus à des mendiants qu'à des paysans. Ils étaient en guenilles. Ils allaient à pied ou à dos de mulet, quelques-uns sur l'échine d'une vache aussi décharnée qu'eux. Ils s'écartaient sur notre passage – notre escorte en imposait. N'apercevant aucun champ cultivé alentour, ni aucune habitation, je me demandais d'où ces hommes pouvaient bien venir et où ils se rendaient. Je les voyais disparaître derrière un nuage de poussière.

Plus tard, nous traversâmes un ou deux bourgs où vivaient quelques centaines d'âmes. La majeure partie de la population était disséminée dans des hameaux ou des fermes isolées. Ce n'était parfois que de simples huttes en pisé, parfois des masures de bois ou de brique, délabrées, semi-ruines dans lesquelles nous n'aurions pas osé loger nos domestiques. Dans les cours des mieux lotis, on pouvait apercevoir une poignée de volailles, un ou deux cochons gris, une chèvre famélique dont les pis grouillants de mouches pendaient jusqu'à terre.

Plus nombreux étaient les chiens, craintifs et bruyants, et la marmaille en haillons. Tous ces enfants me faisaient songer, je ne sais pourquoi, aux uniques survivants d'un cataclysme épouvantable – les derniers et les premiers habitants de cette Terre.

Je ne connaissais pas la misère. Je ne l'avais encore jamais vue. J'en fus frappé dès le début de notre périple ; cela provoqua en moi un sentiment confus où se mêlaient la culpabilité et la honte, la pitié et le dégoût. Je me demandais comment des êtres humains pouvaient vivre dans de telles conditions. J'aurais aimé faire part de mes interrogations à M. Lärsen mais nous n'étions jamais seul à seul, et je n'avais aucune envie d'importuner mes parents avec ça.

Le soir, nous faisions halte dans des auberges. Ces enseignes étaient rares, mais notre prévenant commandant avait parfaitement organisé nos étapes. Je le soupçonne par ailleurs d'avoir donné des ordres afin de réquisitionner ces lieux à notre seul usage, car on n'y trouvait nul autre voyageur que nous. Une heure avant le coucher du soleil, le capitaine de notre escorte envoyait trois ou quatre de ses hommes en éclaireurs. Quand nous arrivions, tout était prêt.

Mais tout était faussé. Je le sentais bien. Notre position, notre bourse, notre escorte nous ouvraient les portes. Le reste nous demeurait fermé. Les gens ne nous adressaient la parole que lorsqu'ils y étaient contraints. Les visages étaient sombres, les regards chargés de méfiance, quand ce n'était pas d'une ostensible hostilité. Nous n'étions pas les bienvenus.

Aux yeux de mon père, cependant, le voyage semblait se dérouler comme prévu. Je l'entendis un matin qui ironisait gentiment :

— Alors, capitaine, disait-il, où sont donc ces redoutables criminels dont votre commandant m'a rebattu les oreilles ? Je vais finir par croire que nous les intimidons !

Le capitaine ne sourit pas.

— Je ne pense pas que ce soit le cas, monsieur, répondit-il. Souhaitons simplement que notre présence continue à leur être indifférente…

Le capitaine était un solide gaillard et un soldat d'expérience. Il savait de quoi il parlait.

Seule anicroche notable durant ces premiers jours : au sortir d'une de ces auberges, un vieillard interpella mon père. Après lui avoir lancé quelques invectives dans un patois incompréhensible, il se planta devant lui, puis lui cracha sur les souliers. Geste de mépris et de provocation. Ses petits yeux noirs luisaient au milieu de sa figure plissée. J'eus le sentiment qu'il aurait été fier d'être abattu sur place – martyr succombant au champ d'honneur. Mais mon père ne lui accorda pas cette satisfaction. Magnanime, il retint le soldat qui s'apprêtait à corriger l'impudent, puis reprit son chemin. L'incident en resta là. En fait, cela ne constituait qu'un très modeste acompte sur la suite.

Nous voyagions à cinq dans la diligence. J'occupais une place près d'une portière, mon père près de l'autre. Entre nous était assis M. Lärsen. Sur la banquette opposée se tenaient ma mère et une jeune femme dénommée Sarah, femme de chambre reconvertie pour la circonstance en demoiselle de compagnie. Nous ne parlions guère. Malgré les cahots, mon père griffonnait souvent sur son calepin – j'ignore la teneur de ces notes, elles ont disparu elles aussi avant que j'eusse eu la possibilité de les lire. Ma mère ne se plaignait pas ouvertement. Elle se contentait de soupirer en agitant un éventail sous son nez. Plus nous nous enfoncions à l'intérieur des terres, plus la chaleur s'intensifiait. Bientôt ce serait la fournaise.

Peu à peu, le Ventre du Diable nous happait.

Quatrième jour. Nous étions en route depuis moins de deux heures. Notre attelage allait bon train. Quatre chevaux nous tiraient. Je commençais à m'habituer et à apprécier le martèlement sourd et régulier de leurs sabots. Ce bruit faisait naître en moi des sensations nouvelles, éveillait des envies d'aventures et de conquêtes. Par la fenêtre, j'observais le manège des soldats autour de la diligence. J'admirais leur tenue, leur prestance. L'un d'entre eux m'aperçut. Il donna un léger coup d'éperons à sa monture afin de se rapprocher. Ma curiosité enfantine devait l'amuser. Il m'adressa un salut militaire en même temps qu'un jovial sourire. C'était un homme à la face ronde, pourvue d'une épaisse moustache blonde. J'étais sur le point de lui rendre son salut quand je vis une sorte d'ombre, fine, fugace, traverser l'espace. Comme un trait au fusain sur une page blanche. Le sourire du soldat se crispa. Il avait toujours les yeux sur moi mais il cessa brusquement de me voir, et je pus lire dans son regard tout l'étonnement, toute l'incompréhension d'un homme face à un insondable mystère. Il mourut sans le savoir.

Une courte flèche transperçait son cou de part en part. L'ombre, c'était ça.

Dans un ultime réflexe, le malheureux tenta de porter une main à sa blessure, mais il ne put achever son geste. Son buste bascula en avant, reposa sur l'encolure du cheval, comme s'il allait lui prodiguer une dernière caresse ou lui souffler un dernier mot d'encouragement. Au bout de quelques pas, le corps du cavalier glissa lentement sur le côté, puis tomba à terre.

À partir de là, tout s'enchaîna avec une incroyable rapidité.

J'avais été le seul témoin de ce drame. Bouche bée, je me retournai vers les autres. Ma mère dut saisir mon expression d'effroi. Sa main qui agitait l'éventail se figea net. Il y eut un bref laps de temps durant lequel le silence me parut total. Puis la fusillade éclata.

Je revois mon père dans l'un de ses éternels costumes blancs, immaculés. Il leva le nez de son calepin et fronça les sourcils.

— Que se passe-t-il ? Que se passe-t-il ?... s'affolait déjà ma mère.

Personne ne lui répondit.

La jeune Sarah, qui somnolait dans son coin, se redressa et poussa aussitôt un hurlement strident. Les coups de feu redoublèrent. Ils semblaient provenir de partout à la fois. Ils claquaient de plus en plus fort. Ils se rapprochaient. Au vacarme des détonations se mêlèrent bientôt des cris et des râles, des ordres aboyés, le hennissement terrifié d'un cheval. Notre voiture accéléra subitement l'allure. Mon père se releva à moitié. Je le vis glisser une main à l'intérieur de sa veste et en ressortir un revolver qui me parut ridiculement petit. Ma mère lâcha son éventail et se mit à gémir : « Oh, mon Dieu ! Oh, mon Dieu... » Je voulus à mon tour me redresser mais M. Lärsen me saisit par le bras.

— Non ! souffla-t-il.

Il était le seul qui paraissait ne pas céder encore à la panique. Comme pour faire écho à ses paroles, le capitaine de notre escorte apparut à ce moment-là derrière la fenêtre et cria :

— Ne bougez pas !

Des mots que je lus sur ses lèvres plus que je ne les entendis.

Le capitaine galopa un court instant à notre hauteur, un poing serré sur la crosse de son revolver. Soudain, il tourna la tête vers l'arrière comme si quelque chose ou quelqu'un arrivait dans son dos. Il tira d'un coup sec sur les rênes ; son cheval se cabra. Puis l'homme et la bête disparurent de mon champ de vision.

« Oh, mon Dieu ! Oh, mon Dieu !... » continuait de psalmodier ma mère. À ses côtés, Sarah tremblait comme un chiot apeuré. Nous avions beau jeter des regards de gauche et de droite, l'ennemi demeurait invisible à nos yeux.

Quelques secondes plus tard, le bruit d'un choc sur le toit nous fit tous sursauter. Nos cinq têtes se levèrent d'un même mouvement. Ça bougeait, ça remuait là-haut, juste au-dessus de nous. Mon père pointa son arme dans cette direction. Je sentis les doigts de M. Lärsen se resserrer autour de mon avant-bras. À cet instant, le jour s'obscurcit à l'intérieur de la diligence. Tous les regards se portèrent vers la fenêtre située de mon côté. Quelque chose l'obstruait. Vision ahurissante : le visage d'un homme était collé à la vitre et nous contemplait. L'homme était couché sur le toit, la moitié de son corps pendait dans le vide ; sa figure se présentait à l'envers, si bien qu'au premier abord ses traits n'avaient plus grand-chose d'humain. On aurait plutôt dit une créature extraordinaire, démoniaque, une invraisemblable gargouille ou bien encore un indigène affublé de son masque de guerre. L'homme souriait pourtant, exhibant ses chicots noirs. Ses cheveux étaient rassemblés en une seule longue natte qui se balançait telle la queue d'un félin. Ce qui ne faisait que rajouter à son aspect insolite et effrayant.

Sarah ne put retenir un second hurlement. Mon père tendit le bras et fit feu vers la fenêtre. Le verre explosa sous l'impact, mais l'homme, plus vif, s'était déjà retiré.

— Les chiens ! tonna mon père.

L'air se remplissait de fumée et de poussière, l'âcre odeur de poudre me prenait à la gorge. Chaque détonation meurtrissait mes tympans.

Ma mère s'était tue et je me souviens de son visage, blême, pétrifié, un visage de cire le long duquel une unique perle de sueur traçait son sillon humide et transparent. À moins que ce ne fût une larme.

Sa jeune femme de chambre, en revanche, était maintenant en proie à une véritable crise de nerfs. Elle couinait, elle suffoquait, entre les deux hoquetait :

— Ils vont tous nous massacrer !... Ils vont tous nous massacrer !...

— Pour l'amour du ciel, taisez-vous ! lui cria mon père.

Mais cette injonction n'eut aucun effet.

Notre attelage avait encore accéléré. Il bifurqua bientôt, déviant de sa route. Les cahots se firent plus nombreux et plus forts ; la voiture tressautait ; à l'intérieur, nous étions de plus en plus brinquebalés. Coup sur coup, deux balles frappèrent la cloison et des éclats de bois volèrent.

— Au sol ! cria alors M. Lärsen. Couchez-vous, vite ! Tout le monde au sol !

C'était sans doute ce qu'il y avait de mieux à faire. Hélas, nous n'en eûmes pas le temps. À peine venait-il de lancer son mot d'ordre que la diligence fit une brusque embardée. Il y eut un énorme craquement, comparable à celui d'un arbre qui s'abat, et j'aperçus à travers la vitre brisée l'une des roues arrière, séparée de son essieu, qui s'éloignait toute seule sur le côté. Nous basculâmes. Les chevaux continuèrent de nous traîner ainsi sur une courte distance ; puis, emportée par son poids et son élan, la voiture se retourna.

Je me rappelle avoir eu l'impression que la Terre tout entière effectuait une soudaine rotation sur elle-même. Passant de l'endroit à l'envers, du jour à la nuit. Je fus comme arraché à mon siège. Durant une fraction de seconde je voltigeai dans les airs, puis je ressentis un choc violent au niveau de la tempe et mon corps retomba comme un poids mort.

Je ne puis même pas dire que j'ai souffert. Très vite les sons s'atténuèrent autour de moi. Puis la lumière. Enfin, au moment où mes lèvres articulaient silencieusement le mot « maman », les ténèbres m'engloutirent.

Voilà tout ce dont je me souviens.

Lorsque je repris connaissance, j'étais couché à même le sol en des lieux inconnus. Offert en pâture au soleil redoutable. Combien de temps s'était-il écoulé ?

Mon père, ma mère, la jeune Sarah ainsi que tous les soldats manquaient à l'appel. Mon bien-aimé M. Lärsen endurait les affres d'un procès aussi cruel que grotesque. Un bâtard borgne assurait ma garde. Chien parmi les chiens. Et puis il y avait cet astre merveilleux qui n'allait pas tarder à éclairer ma voie.

Lorsque je repris connaissance, j'étais passé déjà, sans le savoir, de l'autre côté. Sur un autre versant de mon existence.

4

Les souvenirs sont des oiseaux migrateurs

Je pleurai longtemps. Ballotté à l'arrière du chariot, coincé entre des caisses, des tonneaux et divers ustensiles que la pénombre ne me permettait pas d'identifier. Je pleurai tout mon soûl, jusqu'à me sentir vidé. C'est une des forces de la jeunesse que de pouvoir évacuer le flot des peines et des souffrances. Par les larmes, par les cris. À cet âge, le cœur et l'esprit sont encore assez tendres et malléables pour faire la place à l'idée d'un bonheur possible. Un bonheur à venir. On n'oublie rien, certes, mais on se régénère sans cesse. La vie nous charrie et l'on n'y résiste pas.

Épuisé, je finis par m'assoupir contre une barrique de gros sel.

C'est une pluie de soleil qui me réveilla. Quelqu'un avait soulevé la bâche et les rayons me frappèrent de plein fouet, traversèrent mes paupières closes comme le plus fin des écrans de papier. Cela m'arracha une grimace. Je me redressai en hâte, un bras replié devant mon visage.

Le chariot était arrêté.

Quand enfin je parvins à maintenir les yeux ouverts, je ne distinguai d'abord que d'opaques silhouettes me faisant face. Détails et reliefs se dessinèrent peu à peu.

Ils étaient quatre. Parmi eux le grand chef en personne, Bandit, monté sur une splendide jument à la robe grise. À côté de lui, sur un cheval bai, se tenait un homme aussi maigre et sec qu'un vieux cep de vigne. Son nez recourbé et son menton relevé se rejoignaient presque pour former un improbable bec. Si l'on m'avait demandé son âge, j'aurais répondu : cent ans ou plus, tant sa figure était ridée, burinée. L'homme s'obstinait à téter le tuyau d'une pipe éteinte.

Les deux autres étaient à pied. Je reconnus la carcasse dégingandée du Muet et son regard morne. Enfin, mes yeux se posèrent sur l'un des plus étonnants spécimens de l'espèce humaine que j'eusse jamais rencontrés : hétéroclite assemblage d'un corps de baleine et du délicat visage d'une poupée de porcelaine. La dame, car c'en était une, était en outre affublée d'une robe à volants écarlate, digne d'une danseuse de flamenco ; et puis – cerise sur le gâteau – sur son crâne était vissé un monumental chignon couleur de blé.

Les quatre individus m'observaient sans mot dire. La femme, en particulier, semblait me détailler avec une extrême attention. Pour ma part, j'évaluai mentalement son poids à une demi-tonne. Par réflexe, je me recroquevillai contre les caisses.

— Alors ? lâcha finalement Bandit.

La femme eut une légère moue.

— Faut voir… dit-elle. De plus près.

Bandit adressa un signe de tête au Muet. Celui-ci m'empoigna par le bras pour me faire descendre. Lentement, la femme fit le tour complet de ma personne.

— Y a pas grand-chose à rogner, laissa-t-elle tomber.

Sa voix était basse et rauque.

— Faut voir… fit Bandit en l'imitant.

— C'est tout vu ! répliqua l'autre. J'les connais, ces bêtes-là : c'est dans leur nature. Compte pas sur lui pour faire du gras.

Ces commentaires me donnaient la désagréable sensation de n'être qu'une vulgaire pièce de viande à l'étal. Cette ogresse avait-elle l'intention de faire de moi son prochain casse-croûte ? Elle m'en paraissait bien capable. Mes craintes augmentèrent encore lorsqu'elle se saisit de mon poignet. D'une secousse, je tentai de lui faire lâcher prise, mais sa poigne était de fer. Le coin de ses lèvres s'étira.

— Tout doux, mon agneau… souffla-t-elle.

Puis elle se mit à examiner ma main, la tournant et la retournant sous son nez. Au bout d'un moment, elle dit :

— Racé. Fin. Délicat. Je vous garantis que celui-là n'a jamais mis la main à la pâte… Regardez-moi ces ongles : de parfaits petits quartiers de lune. Ça me rappelle un certain manucure que j'ai fréquenté : on sortait de chez lui, on n'avait qu'une envie, c'était de se sucer les doigts !… Du sang bleu, Bandit ?

Le chef esquissa à son tour un sourire.

— Possible, répondit-il. Au moins autant que toi.

— Hum, hum, fit l'ogresse. J'adore.

Elle serrait toujours mon poignet dans son redoutable étau ; plus que jamais j'étais persuadé qu'elle n'allait pas tarder à en croquer un morceau, histoire de ne pas se faire rouler sur la marchandise.

— Combien tu m'as dit, déjà ? demanda-t-elle.

— Je ne t'ai encore rien dit, baronne.

La femme lança à Bandit un regard par en dessous. Ce dernier accentua son sourire ; la situation avait plutôt l'air de l'amuser. Il finit par lâcher :

— J'en ai demandé trente.

La femme se tourna de nouveau vers moi.

— Trente... répéta-t-elle.

— Ça me paraît raisonnable, dit Bandit.

— Pas si sûr, intervint l'ancêtre à la pipe. Moi, j'crois qu'on ferait mieux de s'en débarrasser tout de suite. Ce morveux risque de nous rapporter plus d'ennuis qu'autre chose, si tu veux mon avis.

— Si je le voulais, je te l'aurais demandé, Miguel, répliqua Bandit.

Ni son ton ni son expression n'avaient changé. Le vieux n'insista pas. Vexé, il renifla un petit coup en se détournant, puis se remit à mâchonner le tuyau de sa bouffarde. Quant à moi, debout et tremblotant dans l'ombre immense de la baleine, j'essayais vainement de trouver un sens à ces propos.

— Trente bêtes, c'est pas rien, reprit la femme.

— Ça dépend pour qui, fit Bandit.

— Et s'ils rechignent? S'ils pensent qu'il les vaut pas, qu'est-ce qui se passera?

Bandit planta ses yeux au fond des miens. Même son sourire, à cet instant, me fit frémir.

— On ne peut pas briser le cœur de ceux qui n'en ont pas, dit-il.

Cette déclaration, pour le moins sibylline, fut suivie d'un silence qui me parut aussi pesant, aussi écrasant que la chaleur. Mes jambes commençaient à s'enfoncer dans le sol quand la baronne lança de sa voix éraillée:

— C'est bon, laisse-le-moi. Ça fait tellement longtemps que je me suis pas trouvée en compagnie d'un gentleman.

Ce disant, elle libéra enfin mon poignet.

Bandit hocha doucement la tête, en manière d'approbation. Puis il lâcha le pommeau de sa selle pour reprendre ses rênes en mains. Un rayon de soleil accrocha l'énorme chevalière en or qu'il portait à l'annulaire. Cet éclat attira mon attention et je remarquai alors, pour la première fois, un détail surprenant : Bandit ne possédait que huit doigts ! Ses deux auriculaires manquaient à l'appel – comme s'ils avaient été sectionnés net, à la base. À leur place se dressaient deux courts moignons au bout lisse et rond.

Bandit vit que j'avais vu. Son sourire ne s'effaça pas tout à fait mais un voile troubla son regard. Il se pencha en avant et me dit :

— Tout se paye, Mosquito… Au premier écart, c'est moi-même qui me chargerai de trancher !

Là-dessus, il effectua un demi-tour et talonna sa jument. L'ancêtre prit son sillage, non sans m'avoir gratifié au passage d'un coup d'œil assassin. Le reste de la troupe avait poursuivi sa route et tous deux le rejoignirent au trot. Je me retrouvai seul entre la baleine et le Muet. Mes nouveaux chiens de garde.

— Il a pas l'habitude de parler dans le vent, dit la femme. (Elle haussa les épaules et sa lourde poitrine se souleva.) T'es prévenu, c'est tout.

J'eus alors le sentiment que je venais d'assister à mon propre procès. Vite expédié. Pour des raisons qui m'échappaient encore, on m'avait accordé une faveur. Une chance. Je n'étais pas libre, mais je n'étais pas mort : voilà tout ce que je comprenais. Une nouvelle fois, l'image de M. Lärsen étendu, inerte, dans la poussière, me traversa le cerveau. Et le cœur. Je chancelai.

Tenir ou tomber : tout cela ne tenait qu'à un fil.

— Il est peut-être temps de faire les présentations, reprit la femme. Celui-là, c'est le Muet. Comme tu as pu le constater, il est pas non plus du genre à causer pour rien dire... Moi, je suis la baronne Ernesta von Singer. Ici, on m'appelle « baronne » tout court. L'étiquette, ces messieurs s'assoient dessus. J'avoue que j'ai eu du mal, mais j'ai fini par m'y faire. On se fait à tout, mon petit prince. Tu verras... À propos, as-tu déjà entendu parler du royaume de Westphalie ? De la Bavière ? La Forêt-Noire, peut-être ?

Elle avait soudain tendu vers moi son étonnante figure de poupée. Ses yeux étaient d'un bleu très pâle et j'y décelai la minuscule faille qui venait de s'ouvrir. Elle guettait ma réponse avec une sorte d'anxiété, un espoir presque douloureux. Elle aurait aimé que je lui dise oui. Elle aurait aimé que je lui parle de son lointain pays, qu'elle ne reverrait probablement jamais.

Au lieu de ça, je lui assenai à mon tour une salve de questions qui me brûlaient la langue – les premières paroles que je prononçais depuis deux jours.

— Où sont mes parents ? m'écriai-je. Où est Sarah ? Et le capitaine ? Et tous les soldats, où sont-ils ? Qu'est-ce que vous leur avez fait ? Et moi, qu'est-ce que vous allez me faire ?...

Ma voix était montée en flèche dans les aigus. Elle se brisa d'un coup. Je demeurai la bouche ouverte, poisson en train de s'asphyxier. L'air sifflait dans ma gorge.

La baronne ne me quittait pas des yeux. La fêlure, au fond de sa pupille, se referma aussi promptement qu'elle s'était ouverte. D'un ton sec, elle dit :

— Le Muet, va lui chercher quelque chose à boire. Et de quoi manger aussi. Sinon, ce gamin va nous claquer entre les doigts.

Le Muet prit le temps de lâcher un jet de salive et d'en balayer la trace avec sa semelle. Après quoi il mit en branle sa grande carcasse et se dirigea vers le second chariot.

La baronne pinça les lèvres. Elle inspira, puis soupira.

— J'en sais guère plus que toi, dit-elle. Au sujet de tes parents et des autres. Et je tiens pas à savoir. Tout ce que j'ai demandé et tout ce qu'on m'a dit, c'est ton prix. Tu l'as entendu comme moi.

— Mon prix ? murmurai-je.

— Oui. Le montant de ta rançon, si tu préfères. Tu vaux trente chevaux, Mosquito. C'est ce que Bandit a exigé... Fais pas cette tête. J'en connais beaucoup qu'en valent pas la moitié. J'en connais pour qui on oserait même pas demander la queue d'une mule !... Ils nous livrent les bêtes et tu retournes chez toi : c'est comme ça que ça marche. Tiens-toi à carreau jusque-là et tout se passera bien. Bandit tiendra parole.

— Mais c'est... c'est ignoble ! soufflai-je.

Le visage de la baronne se fronça.

— Ignoble ?... (Elle inspira de nouveau, narines pincées.) Je vais te raconter une petite histoire, Mosquito. Comme ça. Juste pour que tu te fasses une meilleure idée... Tu vois cet homme ? Le Muet. Avant, il possédait une petite ferme avec un bout de terrain. Pas grand-chose, à peine de quoi vivoter avec sa famille. Manque de chance, les gens qui gouvernent ce pays ont décidé un beau jour que la nouvelle ligne de chemin de fer passerait juste au milieu de sa maison. Je suppose qu'on ne voit pas les fermes sur une carte... Alors, qu'est-ce qu'ils ont fait, ces messieurs ? Ils n'ont pas proposé au Muet de lui racheter son bien. Non. Ils ne lui ont pas proposé de lui fournir une autre maison, ailleurs. Non. C'est encore plus simple que ça.

« Les soldats ont débarqué à la ferme un matin. Ils ont rassemblé sa femme et ses quatre filles dans la cour et ils les ont attachées à deux barils remplis de poudre. Tu vois ? Avec des cordes. Bien serrées. Qu'elles puissent plus bouger. À lui, ils lui ont mis un bout de papier sous le nez. Le chef des soldats a allumé un cigare et il lui a dit : "Maintenant, signe." Le Muet savait même pas lire. Pas écrire non plus. Il était pas encore muet en ce temps-là. Il a regardé sa femme et ses gamines et il a griffonné quelque chose au bas du papier. N'importe quoi. Sa signature. Le chef était satisfait. "C'est bien", il a dit. Il a repris sa feuille et l'a roulée comme une carte au trésor. Il a tourné les talons. Et puis, comme ça, juste au moment de partir, sans même regarder, il a balancé son cigare dans le premier baril. Fffiouf !...

« Ils l'ont construit, leur chemin de fer. Ça oui. Paraît que quand on passe en train par là-bas, on peut encore sentir l'odeur de grillé... C'était il y a douze ans de ça. Depuis ce jour, le Muet n'a plus dit un mot. Plus personne n'a entendu le son de sa voix.

« Tu pourras toujours chercher, Mosquito : l'histoire n'est écrite nulle part... Alors dis-moi, maintenant : qu'est-ce que tu entends exactement par "ignoble" ?

La baronne se tut. Le Muet était de retour. Il portait une gourde et quelques galettes brunes enveloppées dans un torchon. Il baissa sur moi ses yeux où la moindre lueur, la plus infime étincelle semblait avoir été étouffée. Regard éteint.

Que voyait-il ? Devais-je croire ce que la baronne venait de me raconter ? J'étais atterré. La tête me tournait. Le Muet me tendit brusquement la gourde et les galettes. Je ne fis pas un geste. La baronne laissa peser le silence durant une poignée de secondes. Puis, d'une voix plus rauque que jamais, elle dit simplement :

— Mange !

Le Muet conduisait un chariot et la baronne en personne conduisait l'autre. Je n'aurais jamais cru celle-ci capable de hisser sa masse jusqu'à la banquette. C'est pourtant ce qu'elle fit, en souplesse et non sans une certaine élégance. Après quoi elle me lança :

— Alors, tu montes ou pas ?

C'était toujours mieux que de rester à étouffer sous la bâche à l'arrière. Je grimpai donc et m'installai à ses côtés – une place qui allait demeurer la mienne durant de longs mois. La baronne prit les rênes et fit claquer sa langue. Les chevaux se remirent en marche. J'avoue que je regardais ces animaux d'un autre œil à présent que je connaissais mon « prix ».

— Et toi ? reprit la baronne. Tu t'es toujours pas présenté. Mais t'as raison, c'est peut-être mieux comme ça… (Elle recula un peu la tête, comme pour mieux m'observer.) Et puis « Mosquito », ça te va pas si mal, ajouta-t-elle avec son sourire en coin.

Nous rattrapâmes bientôt les autres et cheminâmes tous ensemble plusieurs heures d'affilée. Les terres que nous traversions étaient toujours aussi arides et désolées et l'horizon toujours hors de portée. Lorsque j'interrogeai la baronne pour savoir où nous allions, elle répondit : « Ailleurs. » Puis elle m'expliqua qu'il s'agissait pour eux d'un principe autant que d'une obligation. Bouger, se déplacer, sans cesse. La troupe restait rarement plus de vingt-quatre heures dans un même lieu. Par mesure de précaution, d'abord, car beaucoup de gens étaient à leur recherche ; beaucoup rêvaient de les voir se balancer au bout d'une corde, tous autant qu'ils étaient. Mais une cible en mouvement est plus difficile à toucher qu'une cible à l'arrêt. Élémentaire. Et puis parce qu'il fallait bien qu'ils se débrouillent pour trouver leur pitance. « La bouffe tombe pas du ciel, Mosquito ! »

La baronne enchaîna à ce propos et m'apprit ainsi le rôle qu'ils m'avaient provisoirement réservé au sein de leur organisation :

— Tu seras notre aide-cuisinier, annonça-t-elle. Commis, mitron... Enfin bref, tu vas nous aider, le Muet et moi, à préparer la tambouille pour ces messieurs.

Mon air éberlué la fit s'esclaffer.

— Mais je ne sais pas faire ça ! m'écriai-je. Je n'ai jamais préparé à manger pour personne !

— Ça, je m'en doutais un peu, figure-toi. Mais tu verras, y a rien de sorcier là-dedans. T'as deux yeux, deux oreilles, deux mains, et tu m'as pas l'air plus bête qu'un autre. T'apprendras vite.

— Et si je refuse ?

La baronne se tourna vers moi et son regard m'épingla ; il était à la fois moqueur et sans concession.

— T'as autre chose à proposer, Mosquito ? Il y a quelque chose d'autre que tu sais faire ?

Touché. Je n'avais rien à répondre.

— Tant que tu seras avec nous, il te faudra gagner ta croûte, insista-t-elle. Pas de bouche inutile à nourrir. On n'a pas les moyens. Et mets-toi bien en tête que les domestiques, les larbins, c'est fini. Pour un temps, du moins.

La leçon était claire et j'étais loin d'être en position de force, de toute façon. Je décidai donc de prendre sur moi, dorénavant, et de ravaler mes objections. J'attendrais mon heure.

La baronne resta ensuite un long moment sans desserrer les lèvres. Puis, comme si sa pensée avait suivi son cours pendant ce temps, elle murmura soudain :

— Moi non plus, tu sais, je n'ai pas toujours été ce que je suis…

Je perçus alors cette pointe de mélancolie dans le ton de sa voix, qui la rendait encore plus traînante et râpeuse. Un peu plus tard, de cette même voix, la baronne se mit à fredonner une mélodie, quelque chose qui ressemblait à ces petits airs traditionnels que l'on chante aux enfants. Je n'en comprenais pas les paroles car elles étaient dans sa langue natale, et c'était sans doute ce qui lui donnait ce parfum de nostalgie, si poignant.

Tout en écoutant, je me mis peu à peu à observer, avec plus d'attention, tous ces hommes à cheval autour de moi. Un à un je détaillai leurs visages. Je me rendais compte que chacun avait sa propre histoire. Son drame. Au-delà du masque de sueur, de poussière et de crasse, chacun conservait les traces de profondes blessures et de fulgurantes joies. Les coups donnés, reçus, les regrets, les deuils, les éclats de rire, les rêves brisés : toutes ces batailles menées, ces guerres personnelles dont ils étaient ressortis vainqueurs ou vaincus. Combattants acharnés, en tout cas.

Et moi ? Qu'avais-je donc à raconter ?

Aujourd'hui, je me retrouvais là. Parmi eux. Que je le veuille ou non. Et tout cela me faisait irrémédiablement songer au commencement d'un long, d'un très long voyage.

Le cortège avançait. Nous suivions un chemin qui n'était que le nôtre. Le chant de la baronne se mêlait au bruit des voix, au martèlement des sabots. Et cette musique ainsi composée s'insinuait en moi ; elle parcourait des régions de mon âme encore inexplorées, débusquant au passage de curieux oiseaux qui prenaient leur envol et qui étaient comme des souvenirs inconnus, enfouis profondément, jamais exhumés. Des oies sauvages dans les eaux dormantes.

Cette musique me prenait, me soulevait doucement, et je commençais à me laisser faire. En mon for intérieur, j'en vins même à énoncer ce rappel d'une réalité étrange et brute :

« Aujourd'hui tu t'appelles Mosquito, me dis-je. Et tu vaux trente chevaux. Pas un de plus. »

5

Les amoureux sont des naufragés

Un jour, une nuit, un jour, une nuit, un jour... Les distances parcourues sous un ciel en fusion. Les haltes au soleil couchant. L'horizon blessé et tout ce magnifique sang rouge orangé jaillissant à profusion de sa veine unique. Ça ne dure pas. Le sang sèche, la terre l'absorbe et la croûte se reforme, minérale et noire. C'est l'heure de lever les yeux encore plus haut. Là-haut. C'est l'heure de sonder l'infini. L'heure de l'interroger, lui qui jamais ne répond, lui qui reste sourd et muet. Tout ce qu'il offre à qui sait y voir est un fameux ramassis d'étoiles. Des milliards de cœurs qui palpitent dans un silence assourdissant. Certains sont morts depuis la nuit des temps. C'est l'heure de se taire aussi et d'apprécier.

Le soir, nous établissions le camp près d'une source ou d'un cours d'eau lorsqu'il y en avait. Chose rare. Un pauvre arroyo faisait souvent l'affaire, au fond duquel stagnait la lie de pluies antédiluviennes. Nous allumions des feux. Le bois manquait. Denrée précieuse. Nous en faisions parfois provision quand se présentait un bosquet de chênes-lièges ou de ces petits pins vivaces aux aiguilles drues. Mais tout autre combustible était bon à prendre. Je me rappelle avoir vu les gars moissonner des broussailles. Je me rappelle les avoir vus briser des tonneaux à coups de hache. Et cette fois où quelques-uns s'en sont revenus avec une diligence en morceaux. L'ensemble démantibulé, désossé, les pièces arrachées et tout ça a flambé, depuis le toit jusqu'aux essieux. Dieu sait où et comment ils se l'étaient procuré. Je n'ai pas demandé.

Les longues heures de marche au soleil mettaient nos corps à rude épreuve. Hommes et bêtes. Le crépuscule était le bienvenu, avec sa promesse de repos et la relative fraîcheur de l'ombre qui s'installe. Un seul et même puissant soupir pour tous au moment de l'arrêt. Rênes lâchées. Pied à terre. S'étirer, se frotter les reins, se dégourdir les pattes. Les chevaux soufflaient par les naseaux et secouaient leurs crinières comme s'ils étaient pris d'un irrépressible frisson. Leurs robes brillantes, écumantes. Penchés côte à côte, museaux contre museaux, nous partagions avec eux le même filet d'eau.

Je m'aperçois que je dis « nous ». Déjà.

En réalité, c'était à cette heure-ci, lorsque le convoi faisait halte, que je me mettais véritablement à l'ouvrage.

Mon apprentissage avait débuté. La cuisine était on ne pouvait plus sommaire mais il fallait compter une bonne trentaine de panses à remplir. C'est du travail. Je m'étais fait une raison et ne rechignais pas. Préparer, servir, débarrasser, récurer. Je suivais de mon mieux les instructions de la baronne qui tenait en quelque sorte le double rôle d'intendante et de cuisinière en chef. Je me brûlai les doigts ; je me les écorchai et me les entaillai à maintes reprises. Je portai leurs gamelles aux hommes et dus essuyer leurs quolibets. Je serrai les dents. Au bout de trois jours, mon stoïcisme aidant, ils se lassèrent. Je manquai m'évanouir en tordant le cou à l'un des poulets que la baronne gardait en réserve au fond de son chariot dans des caisses à claire-voie. Je vomis mes tripes après avoir assisté le Muet lors du dépeçage d'un lièvre. Mon premier. « C'est le métier qui rentre », rigola la baronne.

Le Muet était son bras droit. Il était lent mais sûr, et aucune corvée ne le rebutait. Je l'aimais bien. Son silence et l'insondable profondeur de sa peine me touchaient. N'était-ce que de la compassion, au départ ? C'est possible. Mais il méritait mieux et plus que cela ; et je me suis souvent dit, par la suite, que j'aurais apprécié de le connaître avant – avant que son regard ne fût enseveli sous les cendres.

En sus de la baronne, il se trouvait également quelques femmes parmi la troupe. Leur nombre variait suivant les saisons. Ces créatures n'appartenaient à personne et la plupart d'entre elles montaient, juraient, buvaient et se battaient comme les hommes. Je pense même que certaines pouvaient se montrer encore plus dures au mal. Ce qui n'empêche que l'une ou l'autre, parfois, daignait nous donner un coup de main en servant le café ou le thé. Aucun mâle ne se serait alors risqué à une plaisanterie facile, sous peine de se retrouver la gueule ébouillantée.

Ces femmes étaient de vraies fleurs sauvages hérissées d'épines ; elles seules choisissaient qui pourrait les cueillir.

Et puis il y avait Paloma. Une exception, ne fût-ce que par son âge. Elle était l'unique jeune fille et sa présence au sein de cette bande demeura longtemps un mystère à mes yeux.

Un soir, je lui apportai son repas. Elle était assise entre deux autres femmes et Sox était couché à ses pieds. Tout en la servant, je lui glissai, mine de rien :

— Tu vois, finalement, c'est moi qui suis chargé de te nourrir !

Pas mécontent de moi. Une fois ma petite banderille plantée, j'aurais dû tout de suite tourner les talons. Au lieu de ça, je commis la bêtise d'attendre sa réaction.

Il était pratiquement impossible d'avoir le dernier mot avec elle. Après m'avoir toisé un court instant, son œil se mit à pétiller – un signe dont j'apprendrais à me méfier. Puis elle assena une légère claque sur son bras.

— Aïe, ça pique ! lança-t-elle en prenant les deux autres à témoin. Attention, on dirait qu'il y a de vilains moustiques par ici ! Je me demande bien ce qui les excite à ce point !

En disant cela, elle fit jouer ses sourcils d'un air comique et les femmes s'esclaffèrent. Même ce satané chien redressa le museau comme pour mieux apprécier ma déconvenue. Je me sentis rougir jusqu'à la racine des cheveux. Je regardais Paloma et elle me regardait et le sourire qui ornait son visage à cet instant, fût-il à mes dépens, n'en était pas moins merveilleux.

Une fois encore elle avait réussi à me vexer, c'est vrai, néanmoins je fis demi-tour et m'éloignai avec au fond de moi quelque chose qui ressemblait fort à un sentiment de victoire. Et je tanguais tel un naufragé sur le rivage : égaré, déboussolé, mais heureux.

J'ignorais tout des tempêtes.

Durant quelque temps, je ne lui adressai pas la parole. Je me contentais de ne pas la perdre de vue. Du haut du chariot, je me dévissais le cou toute la sainte journée afin de la garder toujours à portée de mon regard. Elle le savait ; elle en jouait ; elle se retournait soudain pour me prendre sur le fait et vérifier, peut-être, que je ne faillissais point. Maligne et espiègle. Lorsque ses yeux rencontraient les miens, le feu embrasait mon visage. Elle m'achevait de son sourire resplendissant.

La baronne n'était pas dupe non plus. Elle avait repéré mon manège. Un après-midi, elle s'arrêta net au beau milieu d'une de ces berceuses et me lança :

— T'as peur qu'elle s'envole, Mosquito ? T'as si peur que ça ?... (Confus, je gardai les lèvres closes. La baronne insista :) Et alors, qu'est-ce que tu feras pour la retenir ? Y a pas trente-six façons, tu sais. Y en a qu'une seule.

Elle avait saisi bien avant moi. Pour mon cœur profane, c'était une chose impossible à appréhender. Il ne pouvait que subir. Son exaltation et sa soumission allaient de pair. Premiers symptômes. Ce mal qui commençait à m'envahir, j'aurais été parfaitement incapable de le nommer. Mais j'adorais en souffrir.

Paloma désertait parfois. À tour de rôle, de petits groupes de cavaliers se détachaient du convoi et partaient en quête de gibier. Quand elle prenait part à ces chasses, c'était pour moi un supplice. Son absence m'empoisonnait. Comme de lourds et menaçants nuages dans le ciel, une sourde inquiétude s'installait dans ma poitrine, m'empêchant de respirer librement. On aurait dit que Paloma emportait avec elle ma part de soleil et d'oxygène – et qui tiendrait longtemps sans lumière et sans air ?

Non, je n'exagère pas. Je connaissais Paloma depuis quelques jours à peine, et pourtant j'en étais là. Ceux qui l'ont connu le savent : l'amour ne prévient pas ni ne s'explique. C'est un tyran qui peut frapper à n'importe quelle porte, à n'importe quelle heure. Et là où il entre, il règne.

Je guettais les bruits de galop annonçant le retour des chasseurs. Je respirais de nouveau quand s'élevait au loin un tourbillon ocre. Les voilà ! Les voilà !... C'était une amazone qui s'en revenait. Une guerrière. Et l'expression de son visage à cet instant me comblait de frayeur et d'admiration. Des cadavres sanguinolents pendaient à sa selle. Lapins sauvages, petits marcassins, et cet oiseau de la taille d'un coq que d'aucuns appellent agami. S'approchant du chariot, elle prenait un malin plaisir à me jeter son butin sur les bras. Madame la baronne en riait comme une baleine.

Paloma était une excellente cavalière et sa propre tâche consistait à s'occuper des chevaux. Il s'agissait autant de leur donner à manger, de lustrer leur poil, de soigner leurs plaies, que d'apaiser ces tourments qui les saisissent quelquefois – et dont les causes, la plupart du temps, nous échappent. Personne mieux que Paloma ne savait deviner leurs misères et leurs angoisses ; personne mieux qu'elle ne savait interpréter les signes qu'ils présentaient, lire la jalousie, la colère dans un œil exorbité, le renoncement dans l'inclinaison d'une oreille. Elle comprenait ces bêtes. Elle parlait leur langage. Combien de fois l'ai-je vue front contre front avec l'animal et lui chuchotant des mots qui resteront à jamais entre eux. Elle les connaissait tous par leurs noms et tous la reconnaissaient. Elle calmait les irascibles et les récalcitrants, elle redonnait courage à ceux qui en manquaient. La voir évoluer parmi eux était un pur bonheur. Je parle d'harmonie. Je parle d'osmose. Je parle de ces instants inoubliables où je me postais dans un coin et la regardais faire. Bien au-delà d'une simple palefrenière.

J'imagine sans mal la mère qu'elle aurait pu être.

Je n'avais pas résisté très longtemps. C'était moi qui étais revenu vers elle. Je lui avais proposé la paix et elle l'avait acceptée, mettant provisoirement de côté son ironie et ses sarcasmes. Et même si elle ne cessa jamais tout à fait de décocher quelques flèches à mon endroit, cela devint, au fil du temps, une sorte de jeu entre nous, dont j'appris à connaître les règles, à parer les coups et à les rendre.

Ainsi prîmes-nous l'habitude de nous retrouver chaque soir. Une fois accomplie ma besogne sous les ordres de la baronne, j'ôtais symboliquement mon tablier et allais rejoindre Paloma. Je passais d'abord un long moment, un peu à l'écart du cheptel, à l'observer. Lorsque ensuite je m'avançais, c'était d'un pas le plus discret possible, afin de ne pas troubler cette harmonie quasi parfaite qui régnait entre elle et ses protégés.

Je crois que les chevaux finirent par m'adopter. Du moins, ma présence leur devint-elle familière. Plus tard, Paloma m'enseigna une partie de ses connaissances et de son savoir-faire et me fit don de quelques-uns de ses secrets et elle me permit de l'aider dans sa tâche, mais jamais je ne pus atteindre à un tel état de grâce.

Quand elle-même en avait terminé, la soirée était déjà bien avancée. Nous allions alors tous deux nous asseoir quelque part pour souffler. Et nous parlions. Nous parlions. Isolés entre tous. Ses lèvres remuaient devant moi. Une pointe de langue rose. J'en oubliais parfois le sens des mots. Un peu plus loin là-bas le feu brûlait et des bouts de flammes coulaient sur ses joues, sur ses cheveux, et ses yeux étaient tantôt deux éclats de quartz noir, tantôt deux points de lave en fusion. Puis nous nous taisions. Les heures étaient passées. Là-bas l'ardent bûcher faisait son lit de braises. Tout doux. Rougeoiement. Crépitement. Elle levait les bras au ciel en s'étirant. Elle bâillait. Elle se laissait aller, étendait son dos contre la terre encore tiède. Si la chance me souriait, c'était là, sur place, que le sommeil la prenait. Voilà sa poitrine qui se soulève. Souffle calme et régulier. Je contemplais son visage jusqu'à ce que mes propres paupières, trop lourdes, ne pussent plus résister. Je chan-tais silencieusement son nom comme d'autres s'enivrent au goutte-à-goutte. Paloma... Paloma... Paloma...

Je pouvais alors me dire que j'avais dormi à tes côtés.

Et pendant ce temps, les hommes de la troupe s'entretuaient. Pour rire. Je ne dirai pas que ces pratiques étaient quotidiennes, mais elles étaient courantes. Surtout après de longues périodes d'inaction, quand les cartes, les fléchettes, les dés, et même le whisky ne suffisaient plus. Il leur fallait ça. Se mesurer, éprouver leur adresse et leur force, établir une hiérarchie. J'ai tendance à croire que la plupart avaient aussi, exacerbé, le goût du combat et du sang. Ils aimaient faire souffrir leurs muscles, leurs chairs, comme pour mieux se sentir vivants après. Ils aimaient donner des coups et en recevoir, sans retenue, avec cet abandon, cette témérité folle que seul peut donner le désespoir lorsqu'il est profondément ancré.

Tous les prétextes étaient bons. Cela se passait autour du foyer et cela commençait souvent par une partie de bras de fer. Tuvio, le colosse, était le champion toutes catégories de cette discipline, cependant il s'en trouvait toujours un d'assez fou ou assez ivre pour le défier. Tout le monde savait alors à quoi s'en tenir. Les deux hommes s'accroupissaient de chaque côté d'une caisse et s'empoignaient. Un cercle se formait autour d'eux. Le ton montait. Ça braillait, hurlait, vociférait, paris lancés ainsi que les rires, les encouragements, les injures. Démonstration. Tuvio aplatissait son adversaire. Un autre le remplaçait. Puis un autre, et un autre, et un autre encore et ainsi de suite. Jusqu'au mauvais perdant. Celui qui refuse, qui réfute, qui accuse, qui en veut plus. Celui qui est encore plus fou ou plus ivre. Alors la caisse entre les deux hommes valdinguait et la lutte prenait un autre tour. Plus rien ne pouvait les séparer. Fauves lâchés. Frères qui s'étreignent. Corps à corps. Roulant dans la poussière au pied du cercle qui s'élargit, qui se déforme et se brise. Chacun prend parti. Les clans s'improvisent dans l'instant et tous s'y mettent, se jettent dans la mêlée et cognent, cognent, cognent.

Ils ne faisaient pas semblant. J'en ai vu cracher leurs dents comme des chiques. J'ai vu des lèvres doubler, tripler de volume. Des bouts d'oreilles arrachés et pendants. Des fronts plus noirs que des aubergines. J'ai entendu des os craquer. Et tous ceux qui restaient sur le carreau des heures durant. Assommés. Enfin tranquilles.

Au matin les hommes se relevaient, pareils à d'authentiques rescapés de guerre, groggy, hagards, mais sans colère ni ressentiment. On se donnait l'accolade. On en rigolait ensemble comme à l'évocation de joyeux et lointains souvenirs. Tous compagnons et frères plus que jamais.

Bandit ne prenait pas part à ces ébats. Il en savait sans doute la nécessité et observait cela d'un œil bienveillant. Il lui arrivait même d'attiser le feu à sa façon, d'allumer la petite mèche finale. Après quoi il se mettait à l'écart de l'explosion. Pas même juge, cette fois. Pas même arbitre. Juste le chef dont personne, semblait-il, n'aurait osé contester la suprématie. Sa propre désespérance, sa propre folie ne souffraient aucune comparaison. C'étaient là des armes que ses hommes connaissaient et craignaient pour les avoir vues à l'œuvre. Leurs ravages étaient dans toutes les mémoires. Bandit n'avait plus rien à prouver.

J'ai souvent songé qu'il ne se serait pas contenté d'assommer un quelconque adversaire, qu'il fût ami ou frère : il l'aurait tué. Et je n'étais certainement pas le seul à avoir cette intuition car nul, à ma connaissance, n'a tenté de la vérifier.

J'ai souvent songé aussi que Bandit était peut-être l'être le plus solitaire que cette Terre ait porté.

Ainsi donc se déroulait le cycle des jours et des nuits. Le temps passait et je suivais. Je découvrais. J'explorais un monde dont, jusqu'alors, je n'avais même pas idée qu'il pût exister. Un monde effrayant et fascinant, à des années-lumière de celui que j'avais toujours habité. J'apprenais à connaître ces hommes. Lentement, et presque à mon insu, je commençais à intégrer leurs manières et leurs mœurs, à les assimiler. Qui n'a jamais entendu conter ces légendes qui traitent d'enfants sauvages élevés au cœur inaccessible des jungles ou des forêts ? Laissez un nouveau-né seul au milieu des loups : s'il survit, si la meute ne le dévore pas, s'il est adopté, il s'adaptera et deviendra lui-même un loup. Vraiment ? Pleinement ? Car la question mérite d'être posée : que subsistera-t-il de sa nature profonde ? Ne sera-t-il pas condamné à demeurer cette créature hybride et singulière, foncièrement différente et étrangère à tous en fin de compte ? Ni tout à fait la même, ni tout à fait une autre.

Un bâtard errant.

Mais ce n'est que plus tard que ces questions me hanteraient.

Pour l'heure, je n'avais rien oublié. Tout en m'ouvrant à ces sensations et sentiments jusque-là ignorés, je conservais dans un coin de ma conscience la réalité de ma condition. J'étais un prisonnier. Un otage. Une part de butin. Et cette situation ne pouvait être, à mes yeux, que provisoire. Peut-être était-ce pour cette raison aussi que je l'acceptais si docilement. Je ne doutais pas que ma libération était imminente. Je pensais à mes parents. Je les imaginais en train de remuer ciel et terre pour retrouver ma trace. Mon père avait du pouvoir, des moyens, il lèverait une armée s'il le fallait. Combien de fois l'ai-je vu, en songe, débarquant dans les premières lueurs de l'aube à la tête de mille soldats, et mettant en déroute cette troupe de hors-la-loi, puis sautant à bas de son cheval et s'avançant vers moi dans son costume blanc et me prenant enfin dans ses bras. « Mon fils, mon fils, je suis là ! »

Une partie de mon être demeurait constamment en attente. Aux aguets. Certaines nuits je m'éveillais en sursaut, croyant avoir entendu des pas et croyant voir des ombres furtives cerner le campement – qui étaient autant d'hommes venus là pour moi, pour me délivrer.

Mais qu'adviendrait-il alors de Paloma ?

Les rouages de mon imagination s'arrêtaient là. La machine s'enrayait. Il m'était impossible d'aller plus avant, et je me rends compte à quel point tout cela était alors confus dans mon esprit : l'espoir le disputait à l'appréhension, ma joie future s'entachait d'un regret que je soupçonnais inaltérable et éternel.

Je ne voulais pas perdre Paloma. Je ne pouvais concevoir de vivre indéfiniment de cette façon, mais, pas plus, je ne pouvais concevoir de vivre sans elle.

Ces nuits-là, le sommeil tardait à me venir ; souvent l'aurore me surprenait les yeux grands ouverts, rougis de fatigue. Et le hasard voulut que ce fût justement au cours d'une de ces pénibles nuits d'insomnie qu'ils firent leur apparition.

Une drôle d'heure, pour de drôles de visiteurs…

6

Les rêves sont des mouchoirs brodés

Je crus d'abord que c'était encore le fruit de mes divagations, mais non, ils étaient bien réels. Ils existaient. Je les vis se détacher des ténèbres à seulement quelques mètres de moi. Sans hâte. Un à un. Bien vivants, oui, et pourtant pareils à des morts se redressant du fond de leurs tombeaux et se débarrassant de leurs épais linceuls d'obscurité.

Ils étaient trois. Déployés en éventail. Ils avançaient en tenant chacun par la bride un cheval dépourvu de selle. Plus silencieux que des ombres. On aurait juré que les pieds nus et les sabots ne faisaient qu'effleurer le sol. Aucune trace. Aucun bruit. Désincarnés. Ils avaient déjoué la surveillance de la sentinelle et convergeaient vers le foyer, au centre du campement. Ils passèrent entre les corps assoupis sans les réveiller. Ils firent halte devant le cercle de cendres et restèrent un long moment debout, immobiles.

Le feu était éteint. Seule la clarté d'une lune pleine me permettait de les distinguer. Tous trois étaient de taille assez petite ; leurs corps étaient trapus, musclés, leurs torses étaient nus. Leurs cheveux leur tombaient aux épaules et leurs yeux luisaient à travers les fentes d'un bandeau noir qui allait d'une tempe à l'autre, comme un loup de velours. Je m'aperçus qu'il s'agissait en fait d'une teinture appliquée à même la peau, un masque peint. Leurs paupières en étaient pareillement recouvertes, de sorte que lorsqu'ils les baissaient, leurs visages retournaient à la plus complète obscurité.

Chacun semblait l'exacte réplique des deux autres. J'apprendrais plus tard qu'ils étaient nés le même jour et de la même mère. Des frères de sang.

Dressé sur mon séant, je les observais. La peur et la curiosité m'empêchaient de donner l'alerte. Paloma était étendue à côté de moi, la joue posée sur son bras. J'entendais le faible chuintement de sa respiration, semblable à un très lointain ressac. J'aurais aimé qu'elle se réveille et qu'elle voie, mais je ne fis pas un geste, je ne dis pas un mot. Au bout d'un moment, celui des trois hommes qui se tenait au milieu tourna lentement la tête dans ma direction. Son regard trouva le mien et mon propre souffle s'interrompit tout le temps qu'il me scruta.

On raconte qu'ils lisent dans nos pensées aussi aisément que le jaguar détecte sa proie dans les effluves du vent. Me jugea-t-il inoffensif ? Toujours est-il qu'il finit par détourner les yeux et, à partir de là, parut ne plus faire aucun cas de ma présence.

L'un de ses frères s'accroupit ensuite au bord du foyer. Il prit une petite pincée de cendres qu'il frotta doucement entre ses doigts. Après quoi il porta ses doigts à la bouche et les lécha. Puis il se releva. C'est à cet instant qu'un quatrième homme apparut.

Bandit.

Je le vis s'extraire à son tour du néant. Il s'avança à la rencontre des trois autres tel le maître des lieux venant accueillir ses hôtes. Nul ne manifesta le moindre étonnement. Bandit s'arrêta sur le bord opposé du foyer et salua les étrangers d'un bref hochement de tête. Ceux-ci posèrent une main à plat sur leur cœur. Je me demandai si c'était là un rendez-vous fixé de longue date ou si Bandit avait simplement su qu'ils étaient arrivés. Pas une parole ne fut prononcée. Après quelques secondes, Bandit fit demi-tour et reprit la direction d'où il était venu et les trois hommes et leurs montures lui emboîtèrent le pas. Alors, je n'y tins plus : je secouai Paloma par l'épaule, d'abord timidement, puis un peu plus fort. Ses paupières s'entrouvrirent. Je posai un doigt sur mes lèvres pour lui intimer le silence ; puis je pointai ce même doigt en direction des visiteurs. Paloma se dressa sur un coude.

Lorsqu'elle les vit, ses sourcils se froncèrent. Dans ses yeux, les brumes du sommeil se dissipèrent instantanément. Son regard était aiguisé. Et soucieux.

Les hommes s'éloignaient. Bandit avec. En moins d'une minute ils s'étaient à nouveau fondus dans les ténèbres, dont les passages n'avaient, semblait-il, plus rien de secret pour eux.

J'attendis encore quelques instants, puis chuchotai :

— Qui est-ce ?

Paloma ne répondit pas. Elle continuait de scruter la place désormais déserte. Nous étions si près l'un de l'autre que je pouvais respirer l'odeur de sa peau et l'odeur de ses cheveux.

— Qui est-ce ? insistai-je. Paloma, qui sont ces hommes ? Tu les connais ?

Quand elle se tourna pour me faire face, une mèche effleura mon front. Je ne reculai pas. Elle laissa échapper un soupir.

— Ils pourraient porter le nom de toutes choses, dit-elle. De la pluie, du vent, des arbres, des rochers. La nuit, ils peuvent être des chauves-souris et le jour des papillons. Ou des sauterelles. Tu les frôles sans même le savoir. Ils sont ce qu'ils deviennent.

Je sentais son souffle sur moi. La petite brise tiède de son haleine effleurant ma joue, mes lèvres, mes cils. Et capable de faire voguer mon âme. Je déglutis.

— Comment ça ? murmurai-je. Qu'est-ce que ça veut dire ?

Paloma se laissa retomber sur le dos.

— Les hommes-caméléons... C'est comme ça que je les appelle. Invisibles, s'ils le souhaitent.

— Invisibles ? fis-je, en me penchant sur elle. Pourtant je les ai vus ! Et tu les as vus, toi aussi !

— J'ai dit : « s'ils le souhaitent », Mosquito. Nous les avons vus parce qu'ils l'ont bien voulu. Parce qu'ils n'ont pas daigné se cacher de nous. Mauvais présage. C'est comme les busards : quand on les aperçoit, c'est qu'il est déjà trop tard.

Elle détourna les yeux. Contempla un moment le ciel nocturne, en silence, tandis que je m'enfonçais pour ma part dans les eaux sombres de ses prunelles. Je jure y avoir vu se refléter la moindre constellation brillant au-dessus de nos têtes.

— On pourrait se dire que ce n'est qu'un rêve, murmura-t-elle alors d'une voix qui me fit frissonner. Un mirage. La lune est pleine, ce soir. On a cru voir, mais les ombres sont trompeuses. On pourrait se rendormir, tous les deux.

J'étais toujours penché sur son visage. L'espace qui nous séparait n'était pas plus large qu'une main et cependant c'était un gouffre, c'était un précipice. Mon crâne se faisait gourd et lourd, et son poids terrible m'entraînait inéluctablement vers le fond, comme un bloc de granit suspendu à mon cou.

— Paloma... soufflai-je.

Elle me regarda – Dieu, qu'elle était belle !... Durant ce trop bref instant j'oubliai les hommes et les fantômes et le compte des jours et tout le reste. Vertige. Je me sentis soudain si près de flancher que je bandai tous mes muscles et toute ma volonté afin de me redresser.

Effort colossal. Ce fut comme si on m'avait arraché au sol. Je me retrouvai assis, haletant. Partout dans mon corps mes veines charriaient un sang bouillonnant comme une armée de fourmis rouges enragées. Qui saurait les apaiser ?

J'avais envie de hurler à la lune.

Je ramenai alors mes genoux contre ma poitrine et les entourai de mes bras. Puis je commençai à me balancer, doucement, d'avant en arrière, tâchant de retrouver mes esprits et ma respiration.

Paloma n'avait pas bougé. Elle avait parfaitement saisi mon trouble. Longtemps j'évitai son regard. Longtemps le silence dura. Enfin, sans me retourner, je dis :

— Je ne crois pas à toutes ces histoires.

— Quelles histoires ? fit Paloma.

— Ces hommes capables de se transformer à volonté. Je suis sans doute naïf, mais pas à ce point.

Paloma s'assit à son tour. Je l'entendis murmurer, comme pour elle seule : « C'est dommage. »

Puis elle demanda :

— À quoi est-ce que tu crois, alors ?

J'aurais tout donné, à cet instant, pour sentir sa main dans mes cheveux. Juste une caresse. Une simple caresse, comme à un brave et fidèle chien.

Elle ne le fit pas.

— Je crois ce que je vois ! crachai-je tout à coup en me retournant. Et tu sais ce que je vois, ici, autour de moi ?... Je ne vois qu'une bande de voleurs et d'assassins ! Je vois un ramassis de brutes, qui ne pensent qu'à se battre et à faire le mal ! Des barbares ! Des lâches ! Misérables lâches, qui s'en prennent à des innocents, qui les martyrisent !... Je vois des bêtes ! Des bêtes, oui ! Sans cœur. Sans scrupules. Sans respect. Sans pitié. Je vois un troupeau de bêtes sauvages et monstrueuses !... Voilà ce que je vois et voilà ce que je crois !

Je n'avais rien prémédité. Le flot avait jailli entre mes lèvres et je fus certainement le premier surpris par sa violence et sa soudaineté. Il y avait en moi tant de peur accumulée, tant de doutes, tant de frustrations, tant d'espérance et de crainte mêlées. L'infernale mixture qui bouillonnait et me rongeait de l'intérieur. Rien ne m'avait préparé à cela.

Je sais, ce ne sont pas des excuses.

Mes mains tremblaient. Mes lèvres tremblaient.

Paloma, mon ange, c'était mon amour qui ne demandait qu'à s'exprimer. Mais je n'en étais pas encore capable. Le diable en a profité, glissant sa langue haineuse à travers la faille. Cette nuit-là, je n'ai su te donner que la plus mauvaise part.

Bien sûr, je regrettais. Bien sûr, il était trop tard.

Paloma ne dit pas un mot. Elle me dévisagea longuement. Son front avait pâli et son regard était celui des enfants trahis. Ceux qu'on abandonne, ceux qu'on voit s'éloigner par les vitres des trains. Enfin, elle se leva et déplissa sa robe du plat de la main. Puis elle se retira, d'un pas lent, hors du champ de la clarté lunaire.

J'ouvris des yeux exorbités et me redressai en sursaut, happant une formidable goulée d'air. Je ne sais plus quelle était la nature de mon cauchemar, mais j'étais en train de m'étouffer. Mon corps était en nage. Il faisait grand jour et le soleil était déjà haut dans le ciel. Après deux ou trois hoquets, je jetai un œil alentour et compris aussitôt qu'il se passait quelque chose d'anormal. Le camp me fit l'effet d'avoir été promptement déserté. Les hommes avaient disparu, les chevaux aussi. Il ne restait que les deux chariots et quatre personnes autour, pareilles aux ultimes gardiens d'un temple voué à la destruction et à l'oubli. Sans illusions – ceux-là auraient choisi la mort plutôt que l'exil.

Je me levai et me précipitai vers eux. Enrique le borgne et le dénommé Virgile étaient assis côte à côte, adossés à la roue du premier chariot. Enrique nettoyait son colt. Sa paupière droite était cousue – une affreuse balafre qui le défigurait. On aurait pu croire que Virgile lui donnait la sérénade. Il grattait en sourdine les cordes de sa guitare tandis que de sa gorge montait une mélodie sans paroles, triste à fendre l'âme. Le Muet était le seul à s'affairer, transvasant des barriques d'un chariot à l'autre avec cette espèce de lenteur obstinée qui lui était propre.

Je me dirigeai droit vers la baronne. Assise à l'ombre du second chariot, sur une caisse qui ployait sous son poids, une paire de lorgnons sur le nez, elle était occupée à broder. Des motifs bleus sur un mouchoir blanc.

— Qu'est-ce qui se passe ? la questionnai-je d'entrée. Où sont-ils partis, tous ?

Elle ne leva pas les yeux de son ouvrage.

— T'as le sommeil profond, mon petit prince, dit-elle de sa voix rauque.

— Il n'y a plus personne, ici ! insistai-je, comme si elle ne s'en était pas encore aperçue. Où est-ce qu'ils sont ?... Et Paloma, où est-elle ? Vous l'avez vue ?

— Profond et agité, poursuivit la baronne sur le même ton. On t'entendait gémir comme une malheureuse biche en train de mettre bas. C'est ta conscience qui te travaille ?

— Bon Dieu, baronne, répondez-moi ! J'ai le droit de savoir !

Je n'avais pas pu m'empêcher de crier. La complainte de Virgile s'interrompit mais les cordes de sa guitare vibraient encore et une note grave plana un instant dans l'air. En suspens. Les trois hommes s'étaient tournés vers moi. Je les ignorai et m'accroupis devant la baronne.

— S'il vous plaît…

Imperturbable, elle continuait à tirer sur son fil de coton. Il se passa encore quelques secondes, puis elle lâcha enfin :

— Qu'est-ce que tu veux que j'te dise ? Ils sont partis. Ils reviendront. C'est comme ça. Les hommes partent. Les hommes reviennent. Parfois. Et puis repartent encore… Les femmes aussi, d'ailleurs.

La musique reprit, plus mélancolique que jamais.

— Vous vous fichez de moi ! fis-je d'un ton sourd. Baronne… où est-ce qu'ils sont allés ?

— Têtu, hein ?

Je fis oui de la tête.

— Faire leur marché, dit-elle.

— Quoi ?

Le coin de ses lèvres s'étira fugacement :

— On nous a signalé une jolie petite affaire, pas trop loin d'ici. Un convoi qui fait route vers le fort. Les troupes gouvernementales ont dû passer commande. Ces messieurs les militaires ont toujours grand besoin d'armes et de munitions, pour faire la chasse aux affreux bandits qui infestent la région… Paraît qu'y aurait pas moins d'une demi-douzaine de chariots, tous remplis ras la gueule. Des joujoux tout neufs. Forcément, ça fait des envieux.

D'un sursaut je me remis sur pied.

— Ça veut dire… ça veut dire qu'ils comptent attaquer ce convoi ? Et voler le chargement ?

Cette fois, la baronne leva son fin museau et me fixa par-dessus ses verres.

— À moins que les soldats se proposent gentiment de nous l'offrir… (Elle fronça soudain les sourcils, affectant un air préoccupé.) Mais c'est vrai, ajouta-t-elle, maintenant que j'y songe, personne n'a pris la peine de te prévenir : nous sommes des voleurs, Mosquito ! Les affreux bandits, c'est nous !

Elle émit un bref gloussement. Son corps massif tressauta et la caisse ploya un peu plus sous son postérieur. Il ne m'aurait pas déplu de la voir s'effondrer.

— Comment pouvez-vous plaisanter alors que… alors que… Et Paloma ? relançai-je, la gorge serrée. Ne me dites pas que vous l'avez laissée partir avec eux !

La baronne s'était remise à son ouvrage. La fine aiguille disparaissait entre ses doigts boudinés.

— Moi ? fit-elle. Moi, je l'ai laissée partir ? Parce que c'était à moi de la retenir ?… Je ne suis pas sa mère, que je sache. Et puis, Paloma est en âge de choisir. C'est elle qui a voulu. Elle avait même l'air d'y tenir beaucoup, pour dire la vérité. Mais j'ai confiance, cette petite sait se défendre.

— Se défendre ? Mais, bon sang, ce n'est plus une partie de chasse et ce ne sont pas des lièvres qu'elle va trouver face à elle ! Ce sont des soldats de métier, armés jusqu'aux dents.

Et ce sont eux qui devront défendre leur chargement et leurs propres vies ! On peut être certain qu'ils ne feront aucun cadeau, à personne !

— C'est bien ce que je pensais, fit la baronne sans élever la voix. C'est ta conscience qui te travaille...

Je lui tournai brusquement le dos et donnai un coup de pied rageur dans le vide. La baronne n'avait pas tort. Je me sentais coupable. J'avais la prétention de croire que c'était en grande partie de ma faute si Paloma s'était lancée dans cette périlleuse entreprise ; et j'avais beau me traiter de tous les noms, cela ne m'était d'aucun soulagement.

Au bout d'un moment, cependant, je revins à la charge :

— C'est à cause de ces hommes, m'exclamai-je, j'en suis sûr !

— Des hommes ? Quels hommes ?

— Vous le savez très bien ! Ceux qui sont arrivés cette nuit, quand tout le monde dormait. Bandit avait l'air de les connaître. Ils sont repartis ensemble. Et comme par hasard, ce matin, c'est le branle-bas de combat !

— Hmm, hmm, fit la baronne. T'as pas les yeux dans ta poche, toi.

— Qu'est-ce qu'ils voulaient ? Ils font partie de votre bande, eux aussi ?

La baronne sembla hésiter un court instant.

— Oui et non... dit-elle. Disons qu'entre bannis, on se comprend.

— Des bannis ?

— Comme nous tous, petit prince. À part toi, peut-être. Du moins, pour le moment.

— Qu'est-ce que c'est que cette histoire ? Je ne comprends rien du tout à ce que vous racontez !

La baronne prit une courte inspiration. Puis soupira :

— T'as déjà entendu parler des Kraore ?... Non, sûrement pas. Moi non plus, je t'avoue, j'avais jamais entendu ce nom-là. Paraît-il que c'est une tribu qui vit là-bas, près du fleuve, à l'autre bout du pays. C'est de là que viennent ces hommes. Leur tribu les a rejetés. Ne me demande pas pourquoi, j'en sais rien. Et je sais pas non plus comment ils ont atterri dans le coin et comment Bandit les a connus. Tout c'que je peux te dire, c'est que ces gars-là sont des pisteurs hors pair. Les meilleurs que tu puisses trouver. Suffit qu'ils mettent le nez sur une vieille crotte de bique et ils te diront d'où venait l'animal, où il est allé, ce qu'il a mangé, et s'il va y avoir un orage dans les trois prochains jours ! Tu vois le genre ?

— Paloma prétend qu'ils peuvent devenir invisibles.

La baronne sourit.

— Paloma a une façon bien à elle de dire les choses... C'est vrai qu'ils sont plutôt difficiles à repérer. Et qu'ils ont des manières un peu bizarres, parfois... En tout cas, invisibles ou pas, eux, ils voient tout. Ils savent tout. Rien de ce qui se passe à des kilomètres à la ronde ne leur échappe. Bien utile pour nous, comme tu l'imagines. Bandit a conclu une sorte de pacte avec eux. Les Kraore lui servent d'éclaireurs.

— Et dès qu'il y a un mauvais coup à faire, ils accourent pour le prévenir, c'est ça ?

— Tu vois, Mosquito : quand tu veux, tu comprends vite.

— Alors, je suppose que je devrais les remercier, renchéris-je en fixant la baronne droit dans les yeux. Parce que c'est sûrement grâce à eux si j'ai atterri ici, avec vous !

La baronne soutint mon regard mais ne dit rien. Tout mon être était chargé, tendu. La triste complainte de Virgile me hérissait la peau.

Là-dessus un coup de feu éclata, si proche et si fort que j'eus l'impression que c'était mon propre cœur qui explosait. Je fis un bond sur place et tournai la tête vers Enrique. Celui-ci avait fini d'astiquer son revolver. Il tenait l'arme à bout de bras, pointée vers le haut. Avec sa paupière rafistolée, éternellement close, il avait l'air de viser les cieux ou toute créature qui s'y serait aventurée. Puis il rabaissa le bras et déposa un baiser sur le canon du colt encore fumant.

— Tout chaud comme la peau d'une donzelle ! lâcha-t-il en exhibant un sourire de hyène.

— La ferme ! lui jeta la baronne.

Le borgne continua à ricaner en silence. Mes nerfs vibraient encore sous l'effet de la détonation. La baronne prit le mouchoir étalé sur ses genoux. D'un coup de dents elle coupa la longueur de fil qui dépassait, puis elle fit un nœud au bout restant. Son ouvrage était achevé. Des deux mains elle le retourna afin de me le présenter.

— Qu'est-ce que tu penses de ça, Mosquito ? Toi qui es un homme de goût.

Je regardai le mouchoir. Sur le fond blanc se détachaient, en bleu, les grossiers contours d'un oiseau aux ailes déployées. Une simple silhouette dont le style naïf n'était pas sans rappeler le dessin d'un enfant en bas âge.

— C'est une colombe, précisa la baronne. Pour Paloma... Faut bien que quelqu'un pense à son futur trousseau, ajouta-t-elle. Qui sait ? Ça pourrait servir, un jour.

En d'autres circonstances, sans doute me serais-je esclaffé devant cet impérissable chef-d'œuvre. Mais ce ne fut point le cas. Les yeux de la baronne étaient rivés aux miens. Lèvres serrées, je tournai les talons et m'éloignai.

Personne ne chercha à me retenir.

Je marchai ainsi, droit devant, jusqu'à ce que les accords de Virgile devinssent aussi improbables que le bruissement du vent dans les feuilles des arbres.

Un peu plus tard, je me retrouvai assis au pied d'un immense cierge érigé vers le ciel. Un mât de misère hérissé de piquants, au sommet duquel nul pavillon ne flottait sinon celui de ma détresse. L'ombre du cactus semblait pouvoir s'allonger indéfiniment. Je me rappelle être resté là des heures et des heures, surveillant l'horizon et priant pour qu'une colombe s'en détachât bientôt à grands coups d'ailes bleutées.

7

Les fusils sont des instruments à percussion

Ils revinrent à la tombée du jour. Ils n'étaient encore que de minuscules points noirs dans le lointain quand je les aperçus. Je m'attendais à une arrivée triomphale, dans un galop effréné, or ce fut une sorte de lente procession de pèlerins harassés. Les chevaux allaient au pas, leurs cavaliers ne pipaient mot. Je n'osai m'avancer à leur rencontre. Ces quelques centaines de mètres, les derniers, me semblèrent d'une infinie longueur.

Bandit avançait en tête, le vieux Miguel un pas en retrait, la pipe éteinte au coin du bec. Dans leur sillage venait un chariot que Tuvio conduisait. Le colosse s'était affublé d'un chapeau de soldat, trophée arraché à l'ennemi. Le reste de la troupe suivait.

La puissante odeur des bêtes envahissait mes narines tandis qu'ils défilaient devant moi. Et mon angoisse augmentait au fur et à mesure. Je cherchais Paloma. Je ne la voyais pas. Mon sang se glaça lorsque je découvris deux chevaux sans cavalier. Un homme tirait les bêtes au bout d'une longe. Deux corps inertes gisaient en travers de leurs selles, ballottés au rythme de la marche. Je m'approchai, le cœur battant, et reconnus dans ces corps sans vie un ancien moine que l'on appelait saint Francis ainsi qu'une métisse nommée Catarina. Sur la trop longue liste des morts que je devais voir défiler au cours de ces années, ces deux noms-là furent les premiers à s'inscrire.

Mes jambes vacillaient. Je me mis en quête de Paloma avec une anxiété encore accrue. C'est finalement grâce à Sox que je la repérai. Le petit chien trottinait entre les pattes de sa monture. Je levai les yeux et faillis ne pas la reconnaître. La jeune fille qui passait devant moi n'était plus celle qui m'avait quitté quelques heures auparavant. À l'image des hommes de la troupe, elle portait des pantalons, une chemise, un gilet ; son visage était barbouillé des mêmes traces de sueur et de poussière ; sa longue et superbe chevelure avait été rassemblée au sommet de son crâne et coincée sous un chapeau qui lui tombait au bas du front. Mais surtout, surtout, dans le bref regard qu'elle m'accorda, je pus discerner quelque chose que je ne connaissais pas. Quelque chose de terrible. Quelque chose qui s'était brisé en elle, comme peut soudain se briser le diamant d'une âme pure, laissant ainsi s'échapper un éclat dur, inflexible et froid.

C'était la première fois que Paloma prenait part à une attaque. Son baptême du feu. Elle s'était portée volontaire. Elle avait touché l'horreur du doigt. Elle avait vu la hideuse figure de la mort, respiré la puanteur de son haleine. Elle avait été témoin du pire dont les hommes sont capables. Sans compter les actes indignes, irrémédiables, qu'elle-même avait pu commettre au cœur de la tourmente – car jamais elle ne m'avoua ce qui s'était réellement passé ce jour-là. Toutes ces choses que l'on ne peut concevoir avant de les avoir vécues.

Désormais, Paloma savait.

Moi pas.

Nul ne s'en retourne indemne du front. La blessure de Paloma était interne, profonde. Je n'avais fait que la percevoir à la lueur de cet unique éclat dans le noir de ses yeux. Mais comment aurais-je pu savoir ce que c'était ? Je n'avais pas quitté le cocon. J'étais resté ici, inutile, désœuvré, banni parmi les bannis, quand elle partait pendant ce temps s'initier à la peur véritable, celle qui vous vide les entrailles, à la douleur, au mal, à la rage de survivre, à celle de tuer avant d'être tué. Elle avait sur elle du sang qui n'était pas le sien. Malgré ma répugnance, j'aurais souhaité partager ça avec elle. Comme tout. Mais elle était partie, et j'étais resté.

Et de nous sentir, à cet instant, si éloignés l'un de l'autre, je ne pus m'empêcher de penser qu'il me serait peut-être impossible de la rejoindre. Même Sox le chien me semblait mériter plus que moi la place à ses côtés.

Voici que s'étend sous mes yeux le champ immense de la solitude et du dénuement.

Il n'y avait rien à dire. Je les regardai rentrer lentement chez eux.

Le Muet avait mis le feu en route. Les hommes s'étaient posés. Dans la nuit à présent installée, le camp avait des allures d'hôpital de campagne. Il y avait quelques blessés parmi la troupe. Des plaies superficielles, pour la plupart, des fractures légères, des côtes enfoncées. Rosa-Rosa, une grande perche à la tignasse rousse, avait endossé le rôle d'infirmière.

Secondée par Virgile, elle allait de l'un à l'autre et désinfectait, pansait, posait attelles et garrots, recousait si nécessaire. Virgile avait troqué sa guitare contre un plateau pourvu de pseudo-instruments médicaux qu'il portait solennellement devant lui comme une couronne royale sur son coussin de velours pourpre. Le cas le plus grave était celui d'Artemio Xeres. Une balle l'avait atteint à la cuisse. Artemio était un petit bonhomme nerveux et sec. Une vraie teigne. Galvanisé par la douleur, il crachait sans discontinuer des bordées de jurons accompagnés de postillons qui s'accrochaient à sa moustache. Malgré la flasque entière de whisky qu'on lui fit ingurgiter, il fut impossible de le faire tenir tranquille jusqu'à ce que Rosa-Rosa, à bout de patience, lui assenât par surprise un bon coup de crosse sur la caboche. Artemio s'écroula raide sur le sol. Rosa-Rosa put enfin opérer. Après avoir extrait le projectile avec la pointe d'un couteau, elle enfonça dans la chair une tige en fer chauffée à blanc afin de cautériser la plaie. L'air s'imprégna un court instant d'un fumet de poils roussis. Artemio eut alors un sursaut. Il ouvrit des yeux exorbités et releva brusquement la tête pour hurler à la face du ciel une insanité concernant la mère de Dieu et celles de tous les saints, puis retomba aussitôt, la moustache frémissante, dans son état d'inconscience – duquel il ne sortit que plusieurs jours plus tard en s'écriant : « Rends-moi mes bottes, fils de hyène ! »

Il régnait ce soir-là, autour du foyer, une atmosphère particulière. Les gestes semblaient ralentis, les bruits plus feutrés qu'à l'ordinaire. J'errai un bon moment au milieu des hommes, dont certains commençaient déjà à s'assoupir. La fatigue n'expliquait pas tout. Je remarquai leurs regards fixes, lointains. Chacun paraissait plongé dans son abîme personnel, au fond duquel se répétait peut-être, encore et encore, l'écho de clameurs atroces. Il leur fallait faire le vide. Remonter peu à peu à la surface. Hormis celle d'Artemio, les langues mirent du temps à se délier.

Là-bas, derrière une petite haie de broussailles, saint Francis et Catarina étaient allongés côte à côte avec pour simple mausolée la voûte céleste et une mauvaise couverture en toile de jute. On aurait pu les prendre pour un couple de dormeurs à la belle étoile. Mais nul ne s'y trompait.

Je notai également au passage que nos visiteurs de la nuit dernière manquaient à l'appel – à moins qu'ils n'eussent revêtu l'aspect de ces lézards aux yeux de braise à demi enfouis sous le sable. Les Kraore étaient déjà retournés à leur rôle de défricheurs et déchiffreurs de la nature. Contrat respecté, pas davantage. Nos morts n'étaient pas tout à fait les leurs.

De son côté, Paloma se consacrait à sa tâche. Elle n'avait pas pris une minute pour souffler. Ne s'était même pas approchée du feu. Dès son arrivée, elle avait rassemblé les chevaux et aussitôt commencé à leur prodiguer les soins habituels et nécessaires. La seule différence était qu'elle ne leur parlait pas. Ses gestes, au contraire des autres soirs, avaient quelque chose de purement mécanique. Ses lèvres demeuraient closes, son visage fermé. Elle effectua un nombre considérable d'allées et venues entre le cheptel et un maigre ruisseau où coulait un filet d'eau. C'est tout juste si elle ne devait pas en racler le fond afin d'en ramener des demi-seaux dont elle se servait pour laver et abreuver les bêtes. Jamais, pourtant, elle ne parut sur le point de fléchir physiquement. D'un seul regard elle dissuada tous ceux qui, à un moment ou à un autre, vinrent lui proposer leur aide. Ils n'insistèrent pas.

Je songeai en la regardant qu'il me faudrait du temps. Beaucoup de temps. Et tout mon amour.

— Eh ! le prince des soupirs ! m'interpella alors la baronne. Tu te lamenteras plus tard. Y a des cochons par ici qu'en peuvent plus de t'attendre !

Il était inutile d'essayer de me défiler. Résigné, je pris au passage le long couteau qu'elle me tendait et rejoignis le Muet sur les lieux de l'exécution.

On fit rôtir cette nuit-là trois cochons sauvages. Accompagnés de gigantesques platées de haricots et de deux pleines marmites de soupe. Je vis circuler parmi les rangs des litres de whisky et de l'alcool de cactus par barriques entières. La presque totalité de nos réserves y passa. Il ne resta rien mais le festin se fit sans joie. Les hommes sombrèrent un à un, chacun priant peut-être dans le secret de son âme pour que son sommeil ne fût qu'un grand trou noir qu'aucun cauchemar ne viendrait éclaircir.

La plupart dormait déjà quand Paloma vint enfin s'asseoir auprès du foyer. Elle s'était changée. Son visage était propre, ses cheveux défaits. La baronne lui apporta la portion qu'elle avait mise de côté pour elle. L'écuelle posée sur ses genoux, Paloma mangea lentement, fixant les flammes sans ciller. Pas une fois elle ne tourna la tête vers moi. Lorsqu'elle eut terminé, elle jeta les os dans le feu puis s'en alla s'allonger dans un coin un peu à l'écart, sur un matelas de terre sablonneuse.

Pour ma part, je ne pus fermer l'œil. Prenant le ciel pour témoin, je fis la promesse de veiller sur elle pour le restant des nuits et des jours à venir.

L'enterrement eut lieu le lendemain, dans le courant de la matinée. On avait creusé un grand carré, large de deux mètres et long d'autant. La troupe au complet se tenait debout alentour.

Comme par hasard, les busards avaient fait leur réapparition. Ils tournoyaient au-dessus de nos têtes en compagnie d'un couple d'urubus qui avait dû parcourir plus de quatre cents kilomètres pour se trouver là à cet instant. Les seuls à oser s'approcher furent les grands vautours moines. Cinq sinistres individus, complètement chauves, qui se posèrent sur le sol aux abords du camp et entamèrent leur danse macabre tout en surveillant les opérations d'un œil critique. L'un des hommes tira un revolver de sa ceinture et le pointa sur eux. Mais la baronne arrêta son geste.

— Laisse, souffla-t-elle. À chacun sa nature…

L'homme cracha, de mépris et de colère, puis rengaina son arme.

On déposa les deux corps côte à côte, sous leur couverture. L'oraison funèbre se résuma au simple « À bientôt, camarades ! » que lança Virgile et que nul ne reprit en chœur. Le seul qui eût été capable d'effectuer un semblant d'office religieux, à savoir saint Francis, le moine défroqué, était précisément celui que l'on venait de mettre en terre. La cérémonie fut donc brève. Il était déjà bien beau que l'on eût pu récupérer les cadavres et les soustraire pour un temps à l'avidité des charognards. Il n'y eut point de larmes versées. Les hommes gardèrent leurs chapeaux. La mort était pour chacun d'eux comme une seconde ombre, familière, qui les accompagnait partout, pas à pas, nuit et jour, jusqu'à cet instant où elle les rattrapait et s'unissait à eux pour l'éternité.

La première pelletée de terre sur la couverture en toile fit s'envoler un essaim de grosses mouches vertes. Enrique se chargea de combler la fosse commune, les autres s'en retournèrent à leurs affaires.

Une heure plus tard, Bandit rameuta de nouveau sa troupe afin de procéder au partage du butin – une partie seulement. Du chariot réquisitionné la veille, on déchargea deux longues caisses en bois dont les flancs étaient marqués du sigle de l'armée. Tuvio en fit sauter les couvercles et l'on vit apparaître des rangées de carabines Winchester alignées les unes sur les autres. Les longs canons de métal luisaient sous le soleil comme des lingots d'argent. Un murmure s'éleva. Les hommes découvrirent leurs dents. Certains en eurent un coup de chaud et ils ôtèrent cette fois leurs chapeaux afin de s'éponger le front. Bandit donna le départ de la curée en annonçant :

— Deux par tête de pipe, pas une de plus !

Les hommes se ruèrent alors à l'assaut des caisses et ce ne fut plus, pendant un moment, qu'une frénétique bousculade pleine de cris et de rugissements. La baronne elle-même joua des coudes et de son imposant fessier pour se frayer un chemin jusqu'au trésor. Lorsqu'elle repassa devant moi, une carabine flambant neuve dans chaque main, elle m'adressa un clin d'œil :

— Les instruments de l'indépendance, Mosquito ! lança-t-elle en me désignant les armes. La seule musique que ces salopards entendent. Même les plus sourds !

Je ne répondis rien. Ce spectacle provoquait en moi l'écœurement plus qu'autre chose. Paloma fut la seule – avec le Muet – à ne pas y prendre part. Elle était demeurée auprès des chevaux, comme si tout cela ne la concernait nullement, et, en mon for intérieur, je lui en sus gré.

Les deux caisses furent mises à sac en un rien de temps. Vides, elles ressemblaient à des cercueils sans objet, et je ne pus m'empêcher de faire le rapprochement avec les deux corps que l'on venait d'ensevelir à même le sol, à quelques pas de distance. Un peu plus tard, l'un des hommes fracassa ces carcasses de bois à coups de hache, les réduisit en fagots que l'on conserva en guise de combustible.

Il y avait encore un bon nombre de caisses pleines dans le chariot. Bandit avait donné ordre de ne pas y toucher. Son intention était de les revendre dans les plus brefs délais.

L'expérience m'apprendrait, au fil du temps, que les armes étaient l'objet de commerce le plus convoité et le plus répandu de par ce monde. Nous en volions des tonnes et des tonnes, et il se trouvait toujours quelqu'un, quelque part, pour les racheter. Je n'ai pas oublié ce que Bandit lui-même me dit un jour :

« Même le plus pauvre parmi les pauvres serait capable de sacrifier sa ration de fayots et celle de toute sa famille, juste pour serrer dans sa main la poignée d'un bon colt .45. Et tu sais pourquoi ?… Parce que c'est la seule véritable loi qui ait jamais compté : la loi du mieux armé ! »

Ce à quoi il ajouta, rejoignant ainsi la réflexion de la baronne :

« Laisse parler la poudre, fils. Crois-moi : les hommes n'écoutent rien d'autre. »

Je dois avouer, hélas, que je n'ai pas vu grand-chose depuis qui m'eût permis de le démentir.

Il fut donc convenu qu'un petit groupe, sous la conduite de Tuvio et du vieux Miguel, s'en irait écouler le chargement d'armes et de munitions. Ils devaient nous rejoindre trois jours plus tard, en un lieu donné. Ils partirent sans attendre. Le reste de la troupe se prépara également à déguerpir. On rassembla les affaires. On chargea Artemio Xeres à l'arrière d'un chariot. Il maugréait encore dans son sommeil, une fine écume aux lèvres. Puis le cortège reprit une nouvelle fois la route.

Tandis que nous avancions, j'observai les circonvolutions des busards dans le ciel. Ils descendaient en lente spirale vers le camp abandonné. Les gros vautours moines, eux, étaient déjà à l'œuvre, raclant de leurs serres le petit tertre de terre sous lequel gisaient les corps de nos compagnons morts.

8

Les cimetières sont des jardins

Il y avait ce village fantôme au milieu de nulle part. Une poignée d'habitations autour d'une église. Une croix noire, en fer forgé, debout sur le toit de l'édifice et se détachant sur le ciel azur. Pareille à un maigre épouvantail ou à un échassier prêt à prendre son envol. C'était la première chose qu'on apercevait, de loin.

Ensuite, le blanc éclatant des maisons frappait l'œil et l'esprit. Modestes constructions, basses, trapues, seulement percées d'une porte basse et d'étroites meurtrières en guise de fenêtres. La chaux qui couvrait les murs étincelait comme au sortir d'une averse. Toutes étaient bâties sur le même modèle et présentaient ce même aspect, propre, presque pimpant. En faisant abstraction du désert alentour, on n'aurait pas été étonné de voir des familles entières de lutins surgissant pour nous accueillir. Des lutins des sables. Mais à notre approche, nul n'apparut sur le pas des portes.

C'était ici que le rendez-vous avait été fixé. Nous avions cheminé trois journées et demie avant d'y arriver. Les autres n'étaient pas encore là.

Un portique, insolite, symbolisait l'entrée du village. Tandis que notre chariot le franchissait, je déchiffrai l'inscription gravée sur le fronton. La baronne, qui tenait les rênes à côté de moi, dut voir mes lèvres remuer.

— Qu'est-ce que ça dit ? me demanda-t-elle.

Ce n'était pas la première fois qu'elle venait en ces lieux, mais toute baronne qu'elle se prétendait, elle ne savait pas plus lire ni écrire que les autres. Je relus les mots à voix haute. L'inscription était celle-ci :

Jésus étendit la main, le toucha, et dit :
« Je le veux, sois pur. »

— Et ça veut dire ? demanda encore la baronne, après un temps de réflexion.

— Je ne sais pas, répondis-je. C'est certainement un passage de la Bible, mais je ne me rappelle pas lequel.

Ces mots, en effet, ne m'étaient pas inconnus. M. Lärsen me faisait parfois étudier des pages du texte sacré. Pour lui, il s'agissait avant tout d'une affaire de poésie.

Le convoi fit halte sur un large terre-plein, devant l'église. Pendant quelques secondes, tout bruit, tout mouvement cessa. Chacun semblait à l'écoute. Je fus saisi par la densité du silence. Je crus d'abord que les habitants, effrayés par notre arrivée, se terraient chez eux. Puis, très vite, je commençai à ressentir une curieuse impression ; une sorte de pressentiment, vague, confus, qui me mettait mal à l'aise. Quelque chose ne tournait pas rond.

— On dirait qu'il n'y a personne, finis-je par chuchoter.

— Absolument personne, confirma la baronne. Pas un chat. Pas un rat.

— Où sont tous ces gens, alors ?

La baronne eut un petit sourire.

— Dieu seul le sait, Mosquito !

Il me fallut un court instant pour comprendre. Après quoi, je me tournai de nouveau vers elle, les yeux écarquillés.

— Morts ?

— Peut-être. Peut-être pas… Y a plusieurs versions de l'histoire. Laquelle est la vraie ?

Les hommes commençaient à mettre pied à terre. Le flot de silence se retirait en douceur. Mon malaise demeurait.

— T'étais pas encore né que ce village était déjà comme ça, reprit la baronne. Tel que tu le vois. Y a rien qui a bougé. Avant, c'étaient des lépreux qui l'habitaient.

— Des lépreux ?

— Oui. Ils s'étaient retirés dans ce trou. Loin du monde. Ils faisaient leur vie entre eux. C'est pas le genre de voisins qu'on aime avoir. Le seul étranger qui s'aventurait jusque-là, c'était un curé. Deux fois par mois, il venait faire sa grand-messe dans l'église. Et puis un dimanche il est arrivé, comme d'habitude, et il a trouvé le village dans cet état. Tout le monde disparu, envolé. Restaient plus que les bêtes. En tout cas, c'est ce qu'il a raconté. Bien sûr, il s'est empressé de dire que c'était grâce au bon Dieu. Un miracle. Notre-Seigneur Tout-Puissant qu'aurait rappelé à Lui Ses pauvres ouailles, ou quelque chose dans ce genre. Hop ! Venez par ici, mes petits !… Tu crois à la magie du Saint-Esprit, Mosquito ?

Je ne répondis pas. Je regardais autour de moi ces maisons parfaitement conservées, qui semblaient avoir été désertées la veille. Je ne savais que penser.

— Pour moi, c'est les coyotes, fit la baronne. Y a rien de pire, quand ils attaquent en bande. J'ai déjà vu ça. C'est des choses qu'arrivent, parfois, s'ils sont vraiment affamés. Crois-moi, ils laissent pas grand-chose sur leur passage. Et puis, y a toujours les vautours pour nettoyer les restes. Sans compter ces saletés de fourmis rouges. Je vois pas l'ombre d'un miracle là-dessous.

— Et les bêtes ? rétorquai-je. Les coyotes auraient dévoré les hommes et épargné les animaux : bizarre, non ?

La baronne haussa les épaules.

— N'oublie pas que le curé était le seul témoin. Chacun prêche pour sa paroisse...

Elle me lança un clin d'œil et reposa les rênes. Elle s'apprêtait à descendre du chariot.

— C'est ça, dis-je.

— Quoi, ça ? s'étonna la baronne.

— L'inscription sur le portique. C'est le passage de la Bible où Jésus guérit un lépreux.

La baronne me considéra un moment d'un drôle d'air. Une bottine posée sur le marchepied, son corps énorme dans le vide, comme en suspens entre le ciel et la terre. Puis, d'une voix qui était soudain un murmure, elle me dit :

— T'as raison, petit prince. Perds pas la foi. Tu risques d'en avoir encore besoin.

Là-dessus, elle posa les deux pieds au sol et s'éloigna. Ses paroles et son ton n'avaient fait qu'ajouter à mon trouble. Je jetai à nouveau un long regard circulaire. J'aurais préféré être ailleurs. Enfin, balayant mes ultimes réticences, je sautai à mon tour du chariot.

Il était près de midi. Le soleil à la verticale plombait le village et il fallait raser les murs pour trouver un semblant d'ombre. Après s'être dégourdi les jambes un moment, la plupart des hommes s'assirent par terre, le dos contre les maisons, la tête au frais. Je remarquai qu'aucun d'entre eux n'avait pénétré à l'intérieur.

Plus je m'approchais de ces demeures, plus j'avais de mal à croire qu'elles étaient à l'abandon depuis toutes ces années. Moi non plus, je n'osais en pousser les portes ; cependant, en passant, je risquais un regard à travers les minces interstices des fenêtres. Et ce que j'apercevais, une fois mon œil accoutumé à la pénombre, n'était pas fait pour atténuer mon malaise. Dans celle-ci la table était mise, le couvert dressé – un pichet en terre cuite, un couteau planté dans une miche et trois écuelles dans lesquelles, qui sait, fumait peut-être encore un restant de ragoût. Mais pas de convives sur les tabourets. Dans celle-là s'étalaient la forme sombre d'une peau de bête à demi tannée et, posés à côté, tous les outils qui vont avec. Et ainsi de suite. C'était partout la même chose. Dedans comme dehors, tout était demeuré intact, meubles et objets subitement figés dans une scène du quotidien ; et tout semblait avoir échappé à l'œuvre dévastatrice du temps. Je me souvins alors de ces soirées au théâtre, que j'aimais tant. Ici, décor et accessoires étaient parfaitement en place, la pièce prête à être jouée. Seuls manquaient les comédiens. Seul manquait le souffle qui donne la vie.

Qu'est-ce qui avait bien pu interrompre si brutalement la représentation ?

Je ne croyais ni à la version de la baronne, ni à celle du curé.

Je poursuivis ma visite. D'instinct, j'avais adopté un pas lent, prudent. Silencieux. Me faufilant entre les maisons comme on se faufile dans l'antre des esprits ou sous le nez de monstres endormis – ne surtout pas les réveiller, ne surtout pas exciter leur courroux !

À l'extrémité du village il y avait un enclos, une sorte de corral vide d'animaux. Dans la même direction se dressait un petit muret, de forme cylindrique et d'environ un mètre de hauteur. Je m'en approchai et eus la surprise de découvrir un puits. La margelle était faite de pierres grossièrement taillées. Je me penchai. Une bouche s'ouvrit devant moi, totalement obscure. Impossible d'en distinguer le fond. Je ramassai un caillou, puis, ayant vérifié que personne ne m'observait, je le lâchai au-dessus du trou.

Jamais je n'entendis le choc marquant la fin de sa chute. Il m'arrive de penser qu'il est toujours en train de tomber. Le « Ventre du Diable » est d'une profondeur insondable.

En contournant l'église, je tombai sur un cimetière. Simple et minuscule rectangle de terre. Rien ne l'aurait signalé s'il n'y avait eu cette floraison de croix émergeant de la surface du sol comme autant d'arbustes nains – atrophiés ou impeccablement, définitivement taillés dans un minerai blanc qui faisait songer à de la craie. Je comptai une trentaine de croix, toutes identiques et alignées au cordeau. Aucune ne portait la moindre inscription. Le petit jardin des morts sans nom.

Je restai un long moment à le contempler. Des frissons rampaient sous ma peau, çà et là, par vagues brèves et successives. Il me semblait que tout ceci possédait un sens caché et qu'il me fallait le dévoiler. Mais je n'y parvins pas. Je dus faire un effort pour m'arracher à cette vision.

J'errai encore dans les ruelles du village. Un léger mais constant bourdonnement emplissait mon crâne. J'étais quasiment le seul parmi la troupe à me mouvoir. Les hommes eux-mêmes paraissaient à présent figés, vaincus par la pesanteur. Certains s'étaient assoupis, le chapeau incliné devant les yeux. D'autres jouaient avec leurs fusils tout neufs; quelques cliquetis de métal sonnaient alors dans l'air immobile. Il n'y avait rien à faire qu'à attendre.

Un peu plus tard, mes pas me ramenèrent sur le parvis de l'église. L'édifice n'était guère plus haut que les maisons alentour, et tout aussi blanc. Immaculé. La façade était percée d'un vitrail représentant une rosace. Le verre n'était même pas ébréché et pas un grain de sable ni de poussière ne venait le ternir. Je remarquai que la porte, guère plus haute que moi, était entrebâillée. La curiosité prit le pas sur l'appréhension: je la poussai doucement du plat du pied. Elle s'ouvrit sans résistance. Sur ma figure passa, à peine perceptible, la fraîcheur d'un souffle. Je ne bougeai pas, mais mes yeux plongèrent à l'intérieur du lieu sacré, non sans une certaine avidité. Sans doute espérais-je confusément y découvrir la clé du mystère. Quelque chose qui m'eût permis de comprendre. Un signe. Ou mieux: une révélation.

Je ne vis tout d'abord que quelques bancs de bois alignés le long de la nef. Terriblement vides. J'essayai de me représenter des hommes, des femmes, des enfants rassemblés ici et priant et communiant dans un même élan de ferveur. Aucune image ne me vint. Je ne m'étais pas demandé, alors, quelle pouvait être la prière d'un lépreux. Quelles sortes de grâces l'on peut rendre à un Dieu qui nous a laissés défigurés.

Les ouvertures, là encore, n'étaient que de minces entailles pratiquées dans les murs. Seul le vitrail au-dessus de la porte laissait pénétrer un flot de lumière plus dense. Son faisceau traversait l'église de part en part, jusqu'au chœur, puis retombait sur une table couverte d'un drap pourpre, qui faisait office d'autel. C'est ici, baignant dans cette flaque mordorée, qu'il m'apparut.

Le visage.

Magnifique. Inquiétant. Il me faisait face. Il me fixait.

On pourra toujours me dire que ce n'était qu'un simple masque de plâtre, je sais, moi, que ses orbites creuses m'adressèrent à cet instant le regard le plus vivant qui soit. Comme un appel, comme un grand cri muet qui me glaça jusqu'à la moelle.

Il était posé au centre de l'autel. Tenu à la verticale par un discret socle en ferraille. Sa blancheur éclaboussait le chœur. Trois cierges se dressaient de chaque côté. Tous éteints.

D'emblée, ce visage exerça sur moi son pouvoir. Il m'attirait. Plus je l'observais, plus j'étais persuadé qu'il avait quelque chose à me dire – un message, un secret, peut-être la fameuse révélation que j'attendais. Soudain, je n'y tins plus. Il fallait que je m'en approche.

Je m'apprêtais à passer le seuil, lorsqu'une voix dans mon dos me fit sursauter :

— Fais pas ça, petit…

D'un bloc, je me retournai. C'était Enrique le borgne. Il se tenait debout à quelques mètres de moi, le canon de sa Winchester posé en travers de l'épaule.

— Rentre pas là-dedans, ajouta-t-il, ça porte malheur.

Ce n'était pas un ordre. C'était un conseil. Une mise en garde. Une poignée de secondes s'égrenèrent, durant lesquelles je fixai sans réagir la hideuse balafre ornant sa paupière. Après quoi je secouai la tête en signe d'impuissance, presque d'excuse, puis, sans un mot, je fis à nouveau volte-face et franchis la porte basse.

C'était plus fort que moi.

Sitôt à l'intérieur, j'oubliai Enrique. Mon corps reçut la fraîche caresse de l'ombre, comme un baume apaisant. Je me dirigeai vers le chœur. Sans hâte. Mes pas étouffés par la terre battue. Je crus entendre un murmure s'élever, m'accompagner tandis que je remontais l'allée centrale, entre les rangées de bancs. Puis, très vite, cette impression se dissipa.

Je m'arrêtai devant le masque. De près, il ressemblait à ceux que portaient les acteurs de l'Antiquité. Ce qui frappait avant tout était l'exceptionnelle pureté de ses traits. Et leur saisissante beauté. Aucun être de chair n'aurait pu soutenir la comparaison. À l'emplacement des yeux et de la bouche s'ouvraient des trous béants, noirs, et pourtant Dieu sait si ce n'était pas au néant qu'ils renvoyaient. Une présence l'habitait. Pour ne pas dire une âme.

Seuls des hommes injustement frappés par la maladie, seuls des hommes difformes et défigurés et bannis du reste des hommes avaient pu créer un visage aussi parfait – un visage à leur propre image à jamais égarée.

Voilà ce que je me dis, aujourd'hui, lorsque j'y repense.

Mais sur l'instant, je fus incapable de réfléchir. Je ne sais combien de temps je demeurai prostré, dans cet état de contemplation, de fascination. Ma poitrine peu à peu se gonfla. Des larmes me vinrent aux paupières. Et puis, sans même que j'en fusse conscient, mon bras se souleva. Ma main s'ouvrit et, irrésistiblement, se tendit vers le masque.

Qui me croira si j'affirme qu'au moment où mes doigts effleurèrent sa joue, de part et d'autre les deux séries de cierges s'enflammèrent d'un seul coup ? C'est pourtant ce qui arriva. Il y eut un crépitement, sec, léger, et les six petites flammes se mirent à brasiller comme des étoiles dans le crépuscule du chœur.

Ce ne fut pas moi qui pleurai, mais lui. Sous mes doigts je sentis la larme enfin libérée, qui traça à la surface du plâtre un humide sillon – le tout premier, peut-être, dans le champ d'une peine éternelle.

Jusqu'à ce jour, je n'en ai jamais parlé à personne.

Mais cet étrange instant de grâce fut brutalement interrompu. Des cris fusèrent à l'extérieur. Un feu d'artifice de hurlements, excités et joyeux, qui pulvérisa la chape de silence. Le sol trembla. J'en perçus les vibrations, sous mes pieds, avant même d'entendre les bruits de la cavalcade qui en étaient la cause. Je compris alors que le reste de la troupe arrivait. Au grand galop. En effet, le martèlement des sabots ne tarda pas à s'amplifier, pareil à un roulement de tonnerre qui se répercuta des murs au plafond tout au long de la nef. Une brève secousse ébranla l'autel. Une à une, les flammes des cierges vacillèrent, puis s'éteignirent, et les frêles filets de fumée s'évanouirent tout aussitôt.

C'était fini. Il était temps de me retirer. Lentement, à reculons, je refis le court trajet jusqu'à la porte de l'église. Après un ultime regard au visage, je sortis. Inondé soudain par la lumière pleine et crue de l'après-midi. Puis je repoussai le battant derrière moi, le cœur gros, comme on referme sur la dépouille d'un être cher la dalle d'un tombeau.

Les arrivants furent accueillis tels de véritables sauveurs. La caravane qu'ils composaient avait quelque chose d'assez ahurissant. Les hommes à cheval encadraient un troupeau bigarré dans lequel se mêlaient cinq ou six mules, des chèvres naines, d'énormes porcs dont les panses frôlaient la terre, et même deux zébus qui étaient les premiers que je voyais. Toutes ces pauvres bêtes, menées à grand renfort de cris, de coups de pique et de fouet, trottinaient tant bien que mal en soulevant des nuages de poussière. Harassées, terrorisées, langue pendante, yeux exorbités.

Était-ce l'ultime parade d'un cirque démantibulé – misérables saltimbanques ambulants ? Ou bien était-ce l'exode forcé des derniers survivants d'une peuplade en exil ? Ou bien n'était-ce encore qu'un miracle, nom de Dieu – une manne céleste ?

Rien de tout cela.

Tuvio le géant menait la danse. Debout sur ses étriers, le chapeau tournoyant en larges moulinets très haut au-dessus de sa tête. On entendait jaillir son rire tonitruant au milieu du concert de braiments, de bêlements, de grognements, de mugissements. Il était heureux. Tous, à cet instant, étaient heureux. Ces hommes et ces femmes transportés d'une joie sincère, primitive, qu'ils laissaient librement et bruyamment éclater. Je pouvais la percevoir, cette joie, sans pour autant réussir à la partager pleinement. Et j'avoue que je les enviai.

L'extraordinaire convoi s'arrêta sur la place. On se pressa autour. On s'embrassa. On se congratula. On plongea les mains jusqu'aux coudes dans les gigantesques sacs de toile et les paniers tressés et les jarres en terre cuite arrimés aux flancs des mules. On en retira de pleines poignées de farine de maïs, de feuilles de tabac, de pois chiches, de haricots secs, de piments rouges, de grains de riz, de sel, de café, on en ruissela de vin épais comme de l'huile et d'huile épaisse comme de la soupe et on en arracha par le cou des volailles vivantes. Il y avait là toutes les richesses troquées ou achetées grâce au chargement d'armes volé aux soldats. Un trésor.

La liesse était à son comble. Oubliées la fatigue et la chaleur. Les hommes s'activèrent à charger les provisions dans les chariots du Muet et de la baronne. Leurs pupilles brillaient déjà de l'ivresse à venir. Excepté le vieux Miguel qui se retira auprès de Bandit afin de faire son compte rendu, tout le monde se mit à l'ouvrage sans rechigner. Dans le lot, je remarquai alors deux têtes que je n'avais jamais vues. Des inconnus. L'un paraissait assez jeune, une vingtaine d'années au plus, l'autre était plus âgé et son crâne était aussi lisse et poli qu'une boule de billard. J'apprendrais plus tard qu'il s'agissait de nouvelles recrues, ramenées dans les bagages de l'expédition. Deux nouveaux enrôlés pour remplacer saint Francis le moine et Catarina la métisse. Car c'était ainsi que cela se passait : les vivants prenaient la place des morts. Aussi simplement et naturellement que ça. Je reconnaissais bien là ce qui faisait la grande force de ces hommes. Pas d'apitoiement sur leur sort. Pas un regard vers le passé. Les morts étaient morts et seule la vie comptait. Ce qui bouge, ce qui respire, ce qui se bat. La formidable puissance de la vie, sans cesse régénérée.

Ainsi le village tout entier, naguère inanimé, retrouva-t-il soudain l'effervescence, le bouillonnement dans ses artères, qui lui donnait un sens.

Je fus moi-même happé par la machine. La main ferme de la baronne me saisit au passage.

— Remue-toi, Mosquito, on a du pain sur la planche !

Autre que du pain : ce fut un festin de rois et l'on n'attendit pas le soir pour s'y livrer. Un des zébus en fit les frais. Égorgé, saigné, dépecé, morcelé en quatre car on ne trouva pas de broche assez longue pour le rôtir dans son ensemble. Son sang inondait la terre, l'imprégnait, puis remontait en bouffées voluptueuses aux narines des hommes. Ils goûtèrent le vin pour patienter.

Les agapes débutèrent vers le milieu de l'après-midi et ne devaient s'achever qu'au matin suivant. Des heures durant, je fis passer des plats, des plats, et encore des plats. Comme si nous avions une armée entière à nourrir. Le Muet, mâchoires serrées, jouait du couteau et du hachoir. La baronne avait fait préparer pas moins de trois foyers à son usage et elle courait de l'un à l'autre pour surveiller, touiller, ajouter, retirer, et je courais dans son sillage, l'oreille à l'affût des ordres lancés de sa voix rauque au milieu du raffut. Elle était admirable, Mme la baronne Ernesta von Singer. À l'aise dans son élément. Splendide baleine-ballerine en pleine danse. Son énergie débordait tout comme débordaient ses formes généreuses de sa robe à volants. Bras et gorge nus, chignon défait, éparpillé en épis d'or et filaments de lumière. Bien plus qu'une baronne : Sa Majesté la Reine des Fourneaux du Désert.

La première étoile apparut bientôt là-haut dans le ciel limpide. Ce fut ce moment que choisit Artemio Xeres pour émerger de son profond coma. Son cri fusa, tout rempli de sa hargne légendaire :

— Rends-moi mes bottes, fils de hyène !

Tous les regards convergèrent sur lui et on le découvrit dressé sur son séant, hirsute et la moustache frémissante. Pendant un court instant il roula ses yeux terribles, après quoi il se mit à humer l'air à petits coups. L'alléchant fumet faisait palpiter les ailes de son nez. Le bougre éructa alors une rafale de jurons, rejeta brusquement sa couverture, puis, sans se soucier le moins du monde de sa jambe blessée, clopina tout droit jusqu'au feu, où il arracha un bon morceau de jarret de zébu grillé. Debout, sur place, à la seconde même, il mordit dedans à pleines dents, dont l'une, gâtée à l'extrême, se déchaussa et chuta sur le bout de sa godasse avant de rouler un peu plus loin sous la braise où elle devait demeurer longtemps ensevelie et indistincte parmi les esquilles d'os racornies et les débris de cornes.

Artemio Xeres se brûla la langue et les doigts. La troupe en chœur salua sa résurrection d'une salve d'applaudissements et de sifflets. Et la fête continua.

Ce n'est qu'à la nuit bien avancée que je pus enfin m'asseoir. Fourbu. Vidé. Un léger tournis sous mon crâne. Au bout de quelques minutes, la baronne vint me rejoindre, deux timbales à la main. Elle m'en tendit une.

— Tiens, prends ça, Mosquito. Tu l'as bien mérité.

Puis elle leva la sienne afin de porter un toast.

— Au prince des mitrons, fit-elle. À tous les lépreux de la Terre. Aux coyotes et aux zébus. Et aux chansons d'amour... Santé !

Elle était éreintée, elle aussi. Elle renversa la gorge et but cul sec. Je l'imitai.

J'ignore encore quelle était la teneur du breuvage qu'elle avait concocté. Ce que je sais, c'est que le liquide se répandit en moi comme une coulée de lave. Une suée soudaine m'inonda le visage ; j'eus un violent hoquet qui me projeta en avant et je me retrouvai à quatre pattes, toussant, bavant, essayant de recracher mes entrailles en flammes.

La crise dura une bonne minute. Lui succéda subitement un grand calme. Le calme d'un lac de montagne. Je me rassis, pantelant, à demi asphyxié. La baronne m'observait d'un œil amusé. Si j'avais pu parler, je lui aurais dit de vilaines choses. Au lieu de ça, je sentis bientôt mes lèvres s'étirer en un sourire béat. De ma bouche entrouverte s'échappa un son bizarre, indéfinissable. Je ne commandais plus rien. J'eus envie de rire aux éclats. Puis de pleurer. Puis de rire à nouveau. Enfin, ma vue se troubla. Peu à peu s'estompèrent les contours, et tout finit par se confondre sur la même toile, aux formes changeantes, aux couleurs floues.

Je crois avoir avalé, cette nuit-là, la moindre goutte de liquide qui passa à ma portée. Élixirs d'extase. Avant de sombrer dans un lieu absolument inconnu de moi.

Au loin, des coyotes hurlaient.

9

Les mensonges sont de sombres nuages

Quand je refis surface, il s'était écoulé un jour et une nuit et encore un jour. J'avais dormi trente-six heures d'affilée. Le réveil fut terrible, à de nombreux égards.

Mais d'abord, pour la première fois depuis des semaines, je ne fus pas frappé par les durs rayons du soleil. Le temps avait changé. Le ciel était gris. Nuageux. J'avais ouvert les yeux mais je fus un long moment dans l'incapacité de remuer. Mon corps me faisait l'effet d'être une enclume posée là depuis des siècles, incrustée dans le sol. Mes paupières étaient boursouflées. Ma tête enflée comme une outre. J'avais froid.

Deux grosses mouches voletèrent un instant sous mon nez. Leur fluet bourdonnement me vrillait les tympans, mais je ne fis pas un geste pour les chasser. J'en étais encore à me demander qui j'étais et où j'étais et pourquoi ma mâchoire me faisait si mal. Les questions essentielles.

Finalement, les mouches s'en allèrent et je parvins à me dresser sur les coudes, avec l'impression de chavirer. Je me trouvais dans un coin, un peu à l'écart du campement. Impossible de me rappeler si je m'étais traîné là tout seul ou si on m'y avait aidé. Les hommes, là-bas, m'apparurent comme des silhouettes dans la brume. Quelques-uns étaient occupés à enfoncer des pieux dans le sol. Ils frappaient avec des masses ou de grosses pierres plates ; les coups résonnaient entre les parois de mon crâne et faisaient vibrer mes os. Je n'avais aucune idée de ce qu'ils fabriquaient et, à vrai dire, je m'en moquais.

Une vague de mélancolie, aussi puissante qu'imprévisible, me submergea et m'emporta au loin.

Vers une vaste demeure, accueillante, silencieuse.

Vers une chambre calme et claire.

Vers des fenêtres ouvertes sur un jardin en fleurs.

Vers un frou-frou de robe et mon front effleuré par un souffle éphémère.

Vers un baiser léger.

Vers un costume blanc.

Vers des visages familiers et des voix douces et chères…

Réminiscences. La vague se retira comme elle était venue, me laissant étendu par terre, sale, transi, perclus, dans un village de lépreux. La réalité dans toute sa misère.

Je voulus me relever d'un bond et la sanction fut immédiate : un coup de boutoir en pleine face. Je tanguai sur place durant quelques secondes, la tête entre les mains. Tout tournait, mais je tins bon. En écartant les doigts, j'aperçus la baronne près des chariots. Je me dirigeai vers elle d'un pas chancelant.

— Tu pues, mon prince !

Tels furent les premiers mots qu'elle m'adressa. Nez froncé au milieu de sa figure de poupée. Elle disparut et revint un instant plus tard avec une tasse à la main, que je considérai d'un œil soupçonneux. Elle comprit soudain ma méfiance et s'esclaffa.

— Du café, Mosquito ! fit-elle. Rien que du café. C'est juré.

Il était chaud et fort. À la première gorgée, je réprimai un haut-le-cœur. La deuxième me fit du bien. Et les suivantes.

— Tu sais qu'on a bien failli partir sans toi, dit la baronne.

— Ç'aurait été vraiment dommage, maugréai-je.

Elle hocha la tête.

— C'est ça, fais le malin.

Elle m'apprit alors combien de temps j'avais dormi. Je ne réagis même pas. Je me sentais lourd de corps, sombre d'esprit. À l'image du ciel où s'amoncelaient des couches de nuages, de plus en plus basses, de plus en plus épaisses. Tandis qu'elle me resservait une ration de café, accompagnée d'un biscuit aussi sec et cassant qu'un morceau d'écorce, je désignai du menton les hommes en train de planter les piquets.

— Qu'est-ce qu'ils font ?

— Des abris, dit la baronne. Lève les yeux, tu verras : ça devrait pas tarder à nous tomber dessus. Et pas qu'un peu. C'est d'ailleurs pour ça qu'on est restés... Entre nous, ajouta-t-elle, une bonne rincée te ferait pas d'mal !

— Pourquoi des abris ? fis-je, ignorant sa dernière remarque. Toutes les maisons sont vides, ici.

La baronne fit claquer sa langue.

— Ttt, ttt, ttt... Allons, Mosquito. On n'entre pas dans une maison sans y avoir été invité. Ça s'fait pas. Personne t'a donc appris ça ?

Je lui jetai un regard incrédule : elle n'avait pas l'air de plaisanter. Je n'insistai pas.

Je passai les minutes suivantes assis sur un baril, buvant mon café à petites gorgées et m'efforçant de ne penser à rien.

Aujourd'hui qu'il était absent, le soleil me manquait. Je ne sais pas si c'était ce temps ou les brumes de mon propre cerveau, mais tout me semblait pris dans une double épaisseur de ouate. Cela donnait une atmosphère morose et pesante.

La baronne allait et venait, vaquant à ses occupations. Elle était penchée sur un sac de grains lorsque je la vis tout à coup se redresser, comme frappée par une sombre illumination. Elle tourna la tête dans ma direction. Son visage était empourpré, ses lèvres serrées. Puis elle se mit en marche d'un pas décidé et quelque chose dans son regard me piqua. Je fus aussitôt en état d'alerte. Elle se planta devant moi, mains sur les hanches. Imposante. Impressionnante. Ses yeux clairs avaient viré à l'acier et les deux pointes aiguës de ses pupilles me clouaient sur place.

— Y en a marre ! lâcha-t-elle. Tu comptes laisser mariner comme ça pendant encore combien de temps ? Des jours ? Des mois ? Des années ?... Si c'est juste un bon coup de pied au derrière qu'y te faut, pour te faire décoller, eh ben, c'est d'accord : je m'en charge !

Je la regardai sans comprendre, totalement éberlué. Elle enchaîna aussi sec :

— Bon sang, mais qu'est-ce que t'as là-dedans ? Et là ?

Appuyant son index successivement au milieu de mon front, puis sur mon cœur, imprimant une secousse qui faillit me faire dégringoler du baril.

— Je vais finir par croire que c'est complètement creux ! fit-elle.

— Mais, qu'est-ce que...

— J'ai eu sept maris, Mosquito. Tu m'entends ? Sept. Pas un de moins. Et pas un qui se serait permis de me traiter de cette façon !

— Mais… mais…

— Arrête de faire la chèvre, nom d'un chien !

Je fermai mon clapet. La baronne se pencha, rapprochant encore sa figure de la mienne, et me souffla d'une voix vibrante et sourde :

— Elle est malheureuse, Mosquito. Elle est triste et elle fait pas semblant, ça se voit comme le nez au milieu de la figure. Seulement, le problème avec toi, c'est que tu regardes que ton nombril !… D'accord, c'est peut-être pas mes oignons, mais ça me troue le bide de la voir se ronger comme ça. Elle a mal. Et pendant ce temps les heures passent. Le monde tourne quand même, c'est vrai. Mais elle, elle ne tourne plus avec. Elle, elle est sur le côté. Et elle attend !

La baronne se tut. J'étais toujours à la considérer, pétrifié, avec un air qui devait être d'une rare stupidité. Plusieurs fois mes lèvres remuèrent dans le vide avant que je ne réussisse à émettre un son.

— Qui… qui ça ? finis-je par balbutier.

— Qui ça ? répéta la baronne en me singeant cruellement.

Pendant quelques secondes encore, elle continua de darder sur moi son regard impitoyable et pénétrant. Puis elle se détourna et s'en fut, me laissant avec l'impression d'avoir reçu une gifle cuisante pour une faute que j'ignorais.

Mais c'était faux. Je savais. Toutes ces vérités que la baronne venait de m'assener à sa façon, je les connaissais déjà. Je les avais enfouies avec autant de soin que d'acharnement. Et chaque fois qu'affleurait à la surface un de leurs douloureux piquants, je le renvoyais vers les bas-fonds de ma conscience à coups de « ce n'est pas ma faute », à coups de « qu'y puis-je ? », à coups de « on ne m'a pas laissé le choix ». Aveugle et sourd par lâcheté. Pas fichu d'assumer ni mes sentiments ni mes responsabilités.

Et me voilà à présent assis sur mon baril, sous le ciel menaçant. Je pense soudain au Muet. Je pense à sa femme et à ses quatre filles défuntes. Je pense à son regard éteint. Le monde tourne quand même, a dit la baronne. Et ses paroles aussi tournent et retournent dans ma tête. Je cherche encore à gagner du temps. Je sais que je ne fais qu'en perdre. Je pense au masque blanc dans l'église déserte. Je pense à l'inscription sur le portique à l'orée du village : « *Je le veux, sois pur.* »

Et puis, je ne pense plus. Je lève les yeux, je la cherche et je la trouve. Je ne vois qu'elle. Elle est là-bas au milieu de ses chevaux qui ont investi l'ancien corral. Alors je me remets debout et je me remets en marche.

À cet instant je ne sais pas encore ce que je vais te dire, Paloma. Ni même si je te dirai quelque chose. Je vais simplement à toi tandis qu'au loin, quelque part dans les confins, les hostilités démarrent dans un premier grondement de tonnerre.

Nous n'avions plus échangé un mot depuis cette fameuse nuit où je lui avais craché mon fiel, les traitant, elle et les siens, de barbares insensibles, de bêtes sanguinaires, de monstres. Ces paroles avaient été prononcées, Paloma les avait entendues, il m'était impossible de revenir dessus pour les effacer.

Je l'avais blessée. Profondément. Au point qu'elle était allée dès le lendemain s'exposer aux balles des soldats. Le chargement d'armes n'était qu'un prétexte pour elle. Que cherchait-elle en réalité ? Je n'ose l'imaginer.

J'ai dit qu'elle s'en était retournée de cette bataille avec quelque chose de brisé à l'intérieur. Il n'y avait plus en elle ce feu qui l'animait et qui rejaillissait dans le moindre de ses gestes et dans les puits noirs de ses iris. Cette lueur si intense dans son regard.

Cela n'était pas réapparu au cours des jours suivants. Je l'observais à la dérobée. Elle n'avait pas pris part à la fête et au festin. Elle se tenait à l'écart. Isolée. Étrangère – peut-être encore plus que moi dans ces moments-là. Muette et morne. Elle ne parlait même plus aux chevaux. Elle accomplissait sa tâche, pas davantage. Elle n'était plus que son ombre.

Paloma, mon ange, j'aurais tant aimé te rendre ton éclat et ta force et ta grâce. J'aurais tant aimé trouver les mots pour te dire combien je regrettais et combien ton sourire me manquait, combien le monde sans ton sourire était comme un arbre sans fleur et sans fruit. J'aurais tant aimé te redonner le goût de la vie et la saveur de la paix.

En allant à ta rencontre, ce jour-là, dans les prémices de l'orage, j'avais un tout petit peu d'espoir.

Mais rien ne se passe jamais comme on le voudrait.

Paloma était occupée à étriller un grand mâle bai. Je m'accoudai à la barrière du corral. Un vent tournoyant commençait à se lever, soulevant un peu de sable au ras du sol et faisant voleter la crinière des chevaux. La nausée était passée mais j'avais toujours froid. Paloma savait que j'étais là. Ses yeux s'étaient posés sur moi une fraction de seconde. Elle poursuivait sa tâche comme si de rien n'était. Le grand bai trépignait sur place, soufflait par les naseaux, et la plupart de ses congénères montraient les mêmes signes de nervosité. Leurs gros yeux globuleux roulaient en tous sens, cherchant peut-être à déterminer la nature d'un danger qu'ils pressentaient. La voix rassurante de Paloma, ses murmures, ses secrets, leur manquaient autant qu'à moi.

Les minutes s'écoulèrent. Les grondements du tonnerre se rapprochaient. Je vis bientôt s'enflammer une traînée de foudre à mi-distance de l'horizon. J'attendais je ne sais quel éclair d'inspiration pour me lancer. Les rares phrases qui me venaient à l'esprit me paraissaient ineptes, misérables. Derrière moi, la cadence des coups portés sur les piquets s'accéléra. D'indistinctes exclamations s'élevèrent dans le camp. Puis la foudre traça un second sillon incandescent dans le gris du ciel et je vis frémir les muscles du troupeau, je vis les frissons ramper sous le cuir, le long des pattes et des échines. L'un des chevaux se cabra de toute sa hauteur avec un hennissement qui me fit songer au rire d'un dément.

— Ils ont peur, dit alors Paloma.

Je ne m'y attendais pas. Elle me tournait toujours le dos. Le temps que je réalise, elle libéra le grand mâle qui s'en alla aussitôt se serrer contre les autres. D'instinct, les bêtes se regroupaient.

J'avalai ma salive et demandai :

— De quoi ? De l'orage ?

— Nous, nous savons que c'est l'orage, dit Paloma en se retournant. Eux non.

Elle avança vers moi et s'arrêta à un mètre de la barrière.

— Est-ce qu'on sait toujours de quoi on a peur ? dit-elle.

Une première goutte s'écrasa, épaisse et lourde, sur cette terre aride.

— Moi, j'ai peur de te perdre ! soufflai-je d'un trait.

Elle planta ses yeux au fond des miens et je parvins à soutenir son regard. J'entendais battre mon propre cœur et mon sang.

— Je voulais… je voulais te demander pardon, Paloma.

— Non, fit-elle en remuant tristement la tête.

— Je ne pensais pas ce que j'ai dit ! C'est la colère, c'est…

— Non, Mosquito. Ne te justifie pas. Tu l'as dit et tu le pensais vraiment. (Elle s'avança encore d'un pas.) Mais ce n'est pas ça qui me fait le plus mal, dit-elle. Ce qui me fait le plus mal, c'est que tu as vu juste. Ce qui est sorti de ta bouche est la vérité. Tu ne te doutes même pas à quel point c'est toi qui as raison.

Je voulus à nouveau protester mais elle ne m'en laissa pas le temps.

— Nous ne sommes pas des bêtes, poursuivit-elle, parce qu'aucune bête n'est aussi féroce. Aussi cruelle. S'il y a quelqu'un qui doit demander pardon, ici, c'est moi. Au nom de tous. Et si j'étais à ta place, je ne crois pas que je pourrais pardonner.

Cette fois la pluie se mit à tomber pour de bon, mais nous ne bougeâmes ni l'un ni l'autre. Jamais le ciel n'avait été aussi bas. C'était comme une mer de plomb fondu s'étalant juste au-dessus de nos têtes et prête à nous engloutir bientôt. Je dévisageais Paloma en tentant de saisir le sens exact de ses paroles. J'étais, à cet instant, pareil aux chevaux : je sentais planer un danger sans réussir encore à l'identifier.

— Qu'est-ce qui se passe ? demandai-je alors, simplement.

Paloma demeura silencieuse quelques secondes, puis elle dit :

— Nous t'avons trahi. Nous t'avons menti. Depuis le début.

J'avais du mal à reconnaître sa voix. Je suivis le lent ruissellement d'une goutte le long de sa joue.

— Je ne comprends pas, dis-je.

Elle ne baissa pas les yeux. Elle ne lâcha pas mon regard. Elle dit :

— Tu ne reverras pas ta famille, Mosquito. Jamais. Ni ton père, ni ta mère... Tes parents sont morts. Ils sont morts pendant l'attaque de votre diligence. Ils étaient morts avant même qu'on ne t'ait ramené avec nous et que tu n'aies rouvert les yeux le premier jour !

Bien sûr il y eut à ce moment-là un coup de tonnerre qui ébranla la Terre jusque dans ses fondations. Le troupeau tout entier poussa un seul hennissement de terreur. Je m'agrippai à la barrière. Je secouai la tête.

— Ce n'est pas vrai ! affirmai-je.

— Je ne peux plus garder ça en moi, dit Paloma. C'est un poison. J'aurais dû te le dire depuis longtemps. Je suis aussi coupable que les autres. Et j'ai honte.

— Ce n'est pas vrai ! répétai-je en criant. Tu veux me faire mal ! Tu veux me faire payer, c'est ça ? Et c'est comme ça que tu te venges !

Paloma ne broncha pas. Je continuai à nier furieusement de la tête. À refuser.

— Et la rançon, alors ? La rançon ! lançai-je tout à coup comme si c'était un argument imparable.

Paloma le balaya d'un souffle.

— Mensonges... Encore des mensonges. Il n'y a jamais eu de rançon.

La pluie cinglait son visage. Qui, là-haut, pouvait verser autant de larmes sur le pauvre drame qui se jouait ?

— C'est toi qui mens ! m'écriai-je. Pourquoi vous auriez fait ça ? Hein ? Pourquoi ? Pourquoi toute cette comédie ? À quoi ça rime, tu peux m'expliquer ? Et d'abord, pourquoi vous m'auriez laissé la vie sauve, à moi, seulement à moi ?

— Parce que je l'ai demandé, dit Paloma.

— Quoi ?

— Oui. Ce n'était pas prévu. On vous a ramenés au camp, toi et le vieil homme qui t'accompagnait. Vous étiez les seuls survivants. Et tu aurais dû subir le même sort que lui. Mais quand je t'ai vu... Enfin, c'est moi qui ai demandé à Bandit de t'épargner. Comme une faveur. Il me l'a accordée. C'est la seule raison.

De tous côtés les éclairs s'étaient mis à scintiller, fendillant la coque opaque du ciel et laissant entrevoir, l'espace d'un instant, un fragment du soleil radieux qui régnait sur l'autre versant des ténèbres. Mais j'avais, moi, d'autres éclairs au fond des yeux. D'autres images s'inscrivant sous mes paupières : c'était mon père caressant son front soucieux, c'était ma mère déposant des azalées dans un vase, ma mère assise un livre à la main dans un fauteuil de rotin bleu, c'était M. Lärsen marchant à mon bras au long d'une allée inondée de lumière... Les souvenirs affluaient à nouveau, aussi nets et précis qu'éphémères, petits miroirs d'un bonheur passé qui explosaient soudain, volaient en milliers d'éclats qui chacun venait se ficher de sa pointe acérée au cœur de mon cœur.

C'était quelque chose qu'il me serait désormais impossible de reconstituer.

— Mosquito...

La voix de Paloma. À peine un murmure dans le vacarme de l'orage. Elle s'était avancée et sa main effleurait timidement la mienne. Mais je lâchai la barrière et reculai d'un bond. Paloma ne pouvait plus rien pour moi, à cet instant. Ni sa pitié, ni même son amour n'auraient pu m'être d'aucun secours. Il ne me restait qu'une chose à faire, c'était tout à coup une évidence. Une seule chose qui pouvait un tant soit peu soulager ma souffrance.

— Mosquito, répéta-t-elle.

Je ne répondis pas. Je fis brusquement volte-face et repartis en direction des chariots.

Je marchais vite. Je ne sentais plus ni la pluie ni le froid. J'avais soif, mais d'une soif qui ne s'étanche que par le sang. Je traversai le camp. Les hommes s'étaient rassemblés par petits groupes sous leurs abris de fortune – quatre piquets sur lesquels ils avaient tendu un toit de toile ou de peau de bête. On aurait dit des nomades d'une autre ère, on aurait dit des passagers attendant la fin du monde pour disparaître avec lui. Je les maudissais tous. J'entendis encore une fois dans mon dos la voix de Paloma qui criait : « Mosquito ! » Je me rappelle avoir pensé : « Ce n'est pas mon nom. »

Je filai droit jusqu'au chariot du Muet, l'escaladai par l'arrière et en redescendis quelques secondes plus tard armé d'un couteau à la lame effilée et longue de vingt-cinq centimètres. Un de ces gigantesques couteaux dont le Muet se servait pour éventrer les porcs.

C'était tout à fait ce que j'avais l'intention de faire.

Les doigts crispés autour du manche, je fonçai sans réfléchir vers l'endroit où se trouvait Bandit.

10

Et les vérités des éclairs de feu

Je m'aperçois que je n'ai guère parlé de lui. Il est au centre de ce récit, et pourtant il n'y est encore apparu qu'en de rares occasions. L'histoire débute avec lui et elle s'achèvera avec lui ; sans lui, elle n'aurait pas eu lieu. Mais son nom, jusqu'à présent, n'a pas été plus souvent cité que celui de la baronne ou du Muet.

C'est peut-être que Bandit était un être insaisissable. Dans tous les sens du terme. Un être de légende. Un mythe.

C'est peut-être que son ombre planait sur tout et tous avec un tel ascendant, une telle évidence, que l'on ne songe même pas à le rappeler – ceux qui ont la foi ancrée en eux n'ont pas besoin d'évoquer sans cesse leur dieu.

Bandit régnait sur sa troupe comme il régnait, d'une autre façon mais tout aussi sûrement, sur l'ensemble de ce territoire et de ses habitants. De son vivant, il était déjà entré dans la mémoire collective du pays. Bien avant que nos chemins se croisent, il n'y avait pas un village, le plus reculé qui fût, il n'y avait pas un foyer où l'on n'avait entendu conter ses exploits. On riait des tours qu'il jouait aux soldats. On pleurait lorsqu'on en était soi-même victime. On le louait autant qu'on le calomniait. On le craignait autant qu'on l'admirait. On pouvait le porter aux nues comme on pouvait, en paroles et par-derrière, l'enfoncer plus bas que terre. On le donnait en exemple, tantôt bon, tantôt mauvais. Pour certains il était le pire des fléaux, pour d'autres il était le meilleur des guides. Pour tous il était le plus rusé, le plus habile, le plus fort, le plus cruel et inflexible. Ne prétendait-on pas qu'il avait abattu Satan en personne d'une balle de .45 entre les cornes ? Afin d'éradiquer le mal selon ceux-ci, afin de prendre sa place selon ceux-là.

On disait tout et n'importe quoi.

En réalité, ils étaient peu nombreux à avoir vu son visage. Encore moins nombreux à l'avoir côtoyé. On lui prêtait parfois les traits d'une créature monstrueuse et chimérique ; et sa simple évocation suffisait souvent à terroriser les garnements les plus récalcitrants. C'est peu dire que personne ne l'ignorait.

Tutélaire et omniprésent, davantage que n'importe quel gouverneur, davantage que n'importe quel roi, Bandit était ici le véritable maître des lieux.

Voilà un peu qui était Bandit et ce qu'il représentait. Et voilà l'homme vers qui je marchais ce jour-là, avec la ferme intention de le tuer.

Ma colère valait bien celle des cieux. C'était le vent de la haine qui me portait ; c'était le grondement de la rage qui roulait sous mon crâne ; c'était l'averse des sanglots refoulés qui me remplissait. Je traversai de nouveau le camp en pataugeant dans les flaques. La terre collait à mes semelles. Je glissais. Je dérapais. Je poursuivais en soulevant des gerbes d'eau et de boue. Rien n'aurait pu m'arrêter. Je n'étais pas seul. Ma mère était là avec moi, en moi, et mon père, et mon cher M. Lärsen : la maigre escorte de mes tout récents fantômes. Je croyais les entendre gémir et hurler dans ce monde de froidure et d'obscurité où Bandit les avait envoyés. Il n'y avait plus de retour possible. Il n'y avait plus d'espérance qui tienne. Bandit m'avait tout pris, tout arraché. Cet homme devait mourir à son tour. Ce n'était que justice.

Il se tenait lui aussi avec quelques-uns de ses fidèles sous l'un des abris précaires ouverts aux quatre vents. Tous debout autour d'un gros chaudron qui servait de brasero. Je reconnus Tuvio le colosse et le vieux Miguel et Salpajo et celle qu'on appelait Félicia la danseuse. Sox le chien était couché au pied du chaudron. Les mains se tendaient au-dessus des courtes flammes. Les hommes discutaient et, à travers le rideau de pluie, je vis Félicia rejeter son buste en arrière et ouvrir une large gueule de louve pour laisser fuser un rire muet. Cette vision décupla ma rage. De quoi pouvaient-ils s'amuser ? De qui se moquaient-ils encore ? Lorsque la danseuse dansait, une douzaine d'anneaux dorés glissaient le long de son bras, depuis le coude jusqu'au poignet, et les mêmes anneaux ballaient à ses oreilles. On disait qu'ils étaient forgés avec l'or des dents prélevées sur ses victimes. Et je le croyais.

J'avançais sur eux, le couteau à la main, les phalanges pâles à force de serrer. Aussi borgne fût-il, Sox le chien fut le premier à me repérer. Son instinct le mit en garde avant les autres. Il releva le museau, puis se dressa sur ses pattes. Je n'étais plus qu'à quelques mètres de l'abri. Bandit droit devant moi en point de mire. Personne entre nous. Aucun obstacle. Il me tournait le dos, il me l'offrait, large et déployé, afin que j'y inscrive ma vengeance en une unique lettre de sang. À droite de Bandit se tenaient Félicia, puis Miguel ; à sa gauche Salpajo et Tuvio.

Il me restait peut-être sept ou huit pas à faire quand brusquement je partis à la charge. J'avais envie de hurler mais mes mâchoires, au contraire, s'entrechoquèrent en se refermant. En moins de deux secondes je traversai d'invisibles voiles de lumière, jaune, puis rouge, puis noire. Tout semblait s'être figé, à part moi. Je levai haut le couteau à la lame ruisselante. Je croisai à ce moment-là le regard du vieux Miguel et je demeure persuadé qu'un sourire de félin se dessina derrière sa pipe. Mais l'ancêtre ne broncha pas. Le dos de Bandit grossit encore devant mes yeux, s'étala comme l'ombre d'une forêt où l'on pénètre, et ce fut soudain mon seul horizon. Alors toute pensée me quitta et mon bras s'abattit de toutes ses forces et de toute sa hauteur. Un éclair d'acier dans la tempête.

J'avais fermé les yeux. Je sentis comme une déchirure à l'arrière de la cuisse et, exactement au même moment, mon bras fut stoppé net dans son élan. Je rouvris les yeux. C'était Sox qui avait planté ses crocs dans ma chair, et c'était Félicia qui, d'une seule main, avait saisi et bloqué mon poignet. Juste avant que le coup n'atteignît sa cible. La lame du couteau pointait entre les omoplates de Bandit, à moins d'un centimètre. La danseuse était d'apparence gracile mais sa poigne était un étau. Derrière ses longs cils, elle me scrutait d'un regard vert et fixe comme celui d'un cobra.

Après un court instant de stupéfaction, je me mis à hurler à l'adresse de Bandit :

— Fumier ! Vermine !... Espèce de monstre ! Espèce de pourriture !... Tu me le paieras !

Je tentai de me libérer mais on aurait dit les soubresauts d'un animal pris au piège. Efforts désespérés et vains. Les bracelets d'or de Félicia ne tremblèrent même pas. Elle accentua la pression de ses doigts autour de mon poignet et je crus que mes os allaient céder. D'une torsion, elle me força à lâcher le couteau qui tomba dans la boue à mes pieds. Puis, dans un mouvement d'une rapidité inouïe, la danseuse se retrouva dans mon dos, emprisonnant mes deux bras par une sorte de clé serrée qui m'arracha une plainte. Sox était toujours accroché à ma cuisse de toute la puissance de ses mâchoires. Ma jambe commençait à ployer. Je crachai encore une flopée d'injures qui s'étouffèrent dans un râle. Je serrai les dents mais les larmes giclèrent soudain sous mes paupières sans que je n'y pusse rien. Larmes de douleur. Larmes de dépit et d'impuissance. J'étais blessé dans ma chair et dans mon orgueil. À travers mes pleurs, j'aperçus la grosse face ronde de Tuvio et sa mine totalement ahurie. Le géant n'en revenait pas.

Jusque-là, Bandit n'avait pas esquissé le moindre geste. Il continuait de se frotter doucement les mains à la chaleur du chaudron comme si cette affaire ne le concernait d'aucune façon. La pluie criblait la toile au-dessus de nos têtes ; elle la traversait par endroits et s'écoulait en minces stalactites translucides. Les bruits de l'eau furent, durant une poignée de secondes, les seuls perceptibles. Puis s'éleva la voix de Bandit.

— Alors tu sais, maintenant, fit-il. C'est elle qui te l'a dit, pas vrai ? Paloma la pure... Elle a bien fait. On prétend qu'un homme averti en vaut deux.

Il se retourna, très lentement, pour me faire face.

— Mais dis-moi un peu, moustique : une demi-portion avertie, qu'est-ce que ça vaut ?

Apparut son sourire glacial. Miguel, Salpajo, Félicia, tous les trois ricanèrent de conserve.

— Je vous déteste, sifflai-je entre mes dents, tous autant que vous êtes ! Je vous hais !

— Excuse-nous, reprit Bandit. Tu n'as pas le cœur à rire, c'est vrai.

Il claqua des doigts et Sox le chien lâcha enfin prise. Une fine et tiède rigole descendit le long de mon mollet. Je me redressai un peu.

— Vous n'êtes qu'une bande de vautours ! Et vous irez brûler en enfer, parce que c'est tout ce que vous méritez !

— Hmm... fit Bandit. Curieuse façon de traiter ceux qui t'ont recueilli. Ceux qui t'ont soigné et nourri. C'est ce qu'on appelle cracher dans la soupe... Mais je comprends. Crache, crache. Il faut bien que ça sorte. Je t'assure que je peux comprendre ça. À ta place, j'aurais fait exactement la même chose. Si ce n'est que j'aurais été plus rusé. Et à la mienne, de place, tu serais mort !

Là-dessus, Salpajo fit mine d'écraser un insecte ; ses deux mains claquèrent sèchement l'une contre l'autre. Et le vieux Miguel se mit à fredonner un petit air improvisé : « Moustique, moustique, qui pique, qui pique... » Sa pipe pendouillait au coin de ses lèvres molles.

Je revois leurs trognes hilarcs. Je revois celle de Tuvio qui n'avait toujours pas dit un mot ni remué un cil et qui n'en revenait toujours pas.

— Regardez ça : il a de la morve au nez, ricana l'ancêtre. Il faudrait peut-être qu'on le mouche.

— Et si on lui coupait carrément son joli petit groin ? renchérit Félicia.

C'était juste un sifflement de vipère, tout près, un souffle venimeux derrière ma nuque.

— Tu veux que je le saigne, Bandit ?

Ce dernier accentua son sourire – le même qui barrait sa face lorsqu'il avait pointé le canon de son revolver contre le front de M. Lärsen. Il secoua doucement la tête.

— Je n'ai qu'une parole, dit-il. J'avais prévenu qu'au premier écart, ce serait moi qui trancherais.

Du bout de sa botte, il souleva alors le couteau tombé à terre, il le projeta d'un seul coup en l'air et le rattrapa de la main gauche. Aussi vif et habile qu'un jongleur dans un cirque. Le tout sans me quitter des yeux. Puis il changea l'arme de main et l'approcha de ma poitrine. Dans un réflexe j'essayai une fois encore d'échapper à l'emprise de Félicia, mais la danseuse tenait bon. J'avais les deux bras entravés, coincés de telle sorte qu'au moindre mouvement ils menaçaient de se briser. La douleur me coupait la respiration.

Bandit se mit à essuyer le plat de la lame sur ma chemise. Lentement, consciencieusement, un côté, puis l'autre. Mon vêtement était trempé et collant et c'était comme si l'acier léchait directement ma peau. Une langue de métal, froide et dure.

— Je sais ce que tu ressens, reprit alors Bandit sur ce ton de la confidence qu'il affectionnait – un ton doucereux et pénétrant. Vois-tu, moi aussi j'ai eu une mère. Moi aussi, j'ai eu un père. La mère, je n'en parle pas. Laisse-la où elle est. Elle est bien, maintenant. Elle est en paix. Et le père ? Ah ! c'était quelqu'un, le père !... Ce cher papa était un homme de principes. Une sorte de mélange entre un soldat et un prêtre. Tu imagines ça ? Il ne plaisantait pas avec le règlement, ni avec la loi. Et tu ne tueras point ! Et tu ne voleras point ! Et tu ne jureras point ! Et tu ne foutras point le feu à la grange de ton voisin ! Et puis tout le reste... Bon. Très bien. Mais, papa, si le voisin est la pire des ordures, si c'est le pire des enfants de putain que cette putain de Terre ait jamais porté, alors qu'est-ce qu'on doit faire ? Hein ?... Tuvio ! Qu'est-ce qu'on doit faire ?

Le colosse sursauta.

— Hein ? Quoi ?... Oui, Bandit !... Euh, je veux dire, non !... Enfin, je sais pas ! Je...

— Rien, dit Bandit. On ne doit rien faire. C'est comme ça. C'est le sort. C'est Dieu. C'est la loi. D'après mon cher papa... Je parie que le tien était un peu de la même race, Mosquito. Non ?... Un gouverneur. C'est l'honnêteté même, un gouverneur. C'est l'exemple à suivre.

— Je t'interdis de parler de mon père ! Rien qu'à penser à lui, tu le salis !

— Et voilà ! fit Bandit en prenant sa clique à témoin. Encore un qui interdit. Trente kilos tout mouillé et sans poils, et il interdit déjà... Mais c'est pas le tout, d'interdire. D'ordonner. Encore faut-il savoir se faire obéir. Comment fait-on ? Tu sais, toi, comment on fait pour se faire obéir ?...

Tu vois, le père, mon père à moi, il nous disait les choses une fois : premier avertissement. Il nous disait les choses deux fois : second avertissement. La troisième fois, il disait plus rien. Il agissait !

D'un seul mouvement du poignet, Bandit trancha le devant de ma chemise, de haut en bas. Je sentis la pointe de la lame glisser le long de ma poitrine. C'était à peine une ride sur ma peau, un fin sillon, où quelques grains de sang germèrent malgré tout. Minuscules bulbes rouge écarlate. Je n'avais pas mal, ce fut plutôt la stupeur qui me pétrifia.

— Mais ça ne marche pas à tous les coups, dit Bandit. Moi, je n'ai jamais su obéir. J'étais un mauvais garçon. Je le reconnais. Un mauvais fils. Je n'ai pas écouté mon papa. J'ai été puni. Normal. Le châtiment. J'ai eu droit au cachot. Prisonnier. Enfermé des jours et des jours dans la nuit noire, avec mes amis les rats. J'ai continué. J'ai eu droit au bâton. Au fouet. Au ceinturon. Des coups et des coups, partout, tellement qu'à la fin on ne compte plus, tellement qu'à la fin la peau mue et ça devient des écailles. Et toi tu deviens un serpent. J'ai continué. J'ai eu droit à la verge sous la plante des pieds. Aïe ! Essaie un peu de marcher après ça. Impossible. La terre, c'est de la braise. C'est un tapis de feu. Combien de fois je me suis traîné sur le ventre ? Combien de fois j'ai dû ramper pour me déplacer ? Un serpent, je te dis. Mais j'ai continué. Alors, le père en a eu assez. Normal. Un jour, il m'a pris par la main. Ma main de voleur, ma main de pilleur de troncs. Il l'a posée bien à plat sur le billot. Il me tenait par le poignet. Il a pris sa petite serpette qui lui servait pour le fourrage. Il l'a levée. Et puis tchac !... Un seul coup. À vif.

J'ai vu mon doigt se tortiller dans la poussière comme un petit ver tout blanc. « Cette fois, j'espère que t'auras compris la leçon ! » il a dit, le père. J'avais quoi ? Peut-être la moitié de ton âge...

Sa dernière phrase s'acheva dans un souffle. Bandit se tut. Pendant un instant, son regard sembla errer sur de très lointaines et anciennes contrées où tout n'était plus que ruine et désolation. Il aurait fallu faire table rase. Il aurait fallu rebâtir sur un sol vierge plutôt que sur des décombres encore fumants. Mais on ne choisit pas.

Je ne pus m'empêcher de baisser les yeux sur sa main gauche où l'auriculaire manquait, sectionné à ras. Puis sur la droite, celle-là même qui tenait le couteau, où un autre moignon pâle lui tenait lieu de petit doigt.

— C'est comme ça qu'on devient malin, dit-il.

Il me fixait à nouveau. Il ne parlait pas fort mais sa voix s'insinuait à travers le vacarme des éléments. Hypnotique. Le fil tendu de sa voix sur lequel il m'entraînait, me forçait à le suivre, en équilibre, avec le vide partout en dessous.

— C'est comme ça qu'on devient rusé. Serpent et renard à la fois. Oui, 'Pa, j'ai compris la leçon...

Toujours de la pointe de la lame, il écarta les pans de ma chemise, de chaque côté, jusqu'aux épaules. Il fit ça avec lenteur, presque avec délicatesse. Pourtant j'eus la brusque vision du Muet éventrant puis dépeçant un lapin. Mon torse était totalement à découvert. Maigre et glabre. Offert.

— J'ai continué, dit Bandit. Tu t'en doutes. J'ai fait même pire. De pire en pire. Mais sans plus me faire prendre, après ça. Je glissais entre les mailles. Entre les griffes. Tout s'apprend, figure-toi. L'esquive. Le mensonge. Le sang-froid du serpent. La patience du renard. Et la haine, aussi. La haine de l'enfant. Tu crois savoir, mais tu ne sais pas. Tout s'apprend et se développe. Tout grandit avec toi.

Le ciel s'était encore obscurci. Sous l'abri l'ombre gagnait. La garde noire veillait. Miguel, Tuvio, Salpajo. Lieutenants du diable. Immobiles et silencieux. Il n'était plus question de ricaner. Les flammes du brasero jetaient des éclats fauves dans leurs prunelles. Des étincelles de cruauté au milieu de leurs gueules enténébrées. L'haleine de la danseuse se faisait brûlante au creux de mon cou.

— J'ai attendu d'avoir quatorze ans, fit Bandit. Le père dormait. Il faisait sa sieste, dehors, dans son hamac. J'ai pris la pioche et je me suis approché. Sans bruit. J'ai frappé de toutes mes forces, en plein sur son crâne. Avec le manche. Après ça, je l'ai attaché. Je l'ai ficelé avec une corde. Puis je l'ai poussé du hamac et je l'ai traîné par terre, comme un sac, jusqu'à la grange. Je l'ai laissé là, dans la paille. Je me suis assis à côté de lui et j'ai attendu qu'il se réveille. Il a mis longtemps, mais je n'étais pas pressé. Tout était prêt : le billot, la serpette. Bien aiguisée. C'était le père lui-même qui l'affûtait avec la pierre, tous les jours. J'ai attendu. Quand il a ouvert les yeux, il m'a d'abord regardé un bon moment. Il comprenait pas. Et puis il s'est foutu en rogne. Il a commencé à gueuler. Et puis tout à coup il a vu la serpette, et moi j'ai vu la peur dans ses yeux. C'était la première fois. La peur, dans ses yeux à lui. Ça m'a fait du bien. Alors, qu'est-ce que j'ai fait ? J'ai placé le billot devant lui, sous son nez, pour qu'il voie bien. J'ai posé ma propre main dessus. Celle-là. Celle qui était encore entière. J'ai pris la serpette dans l'autre main. Et puis… j'ai fait comme il m'avait appris. Tchac !

Bandit mima le geste en même temps qu'il le décrivait. Durant ce laps de temps infime, je vis ses pupilles se rétrécir et s'allonger, je vis la lame du couteau fendre l'air devant moi, de haut en bas, et je sentis ma chair se déchirer. Un trait de feu, parfaitement rectiligne, de mon sternum à mon nombril. Un cri jaillit entre mes dents.

— Ça fait mal, hein ! fit Bandit. (Sa voix était montée d'un cran. Son ton se durcit :) Mais pas assez, petit homme. Pas assez ! Qu'est-ce que tu crois ? Il faut aller plus loin. Il faut atteindre ce point, là-derrière, tout au bout. Bien après la douleur. Là où ça fait tellement mal que tu ne ressens plus rien. C'est là qu'il faut te cacher. C'est là qu'il faut te réfugier !

Bandit répéta son geste. Une autre entaille fulgurante, le long de mes côtes cette fois. Un autre cri. Je ruai soudain et recommençai à me débattre. Mais Félicia se colla contre mon dos et pesa de tout son poids. Bandit approcha sa figure de la mienne, presque à me toucher.

— Tu sais ce que j'ai fait, moi ? Ce jour-là, dans la grange. Je me suis relevé. Le sang giclait de partout, sur le billot, sur la paille, sur les habits du père. J'ai pris les allumettes dans la poche de sa chemise et j'en ai frotté une. Avec ma bouche. Puis je l'ai crachée au milieu de la paille. Le père s'est mis à couiner comme un goret mais j'étais déjà loin, moi. J'étais déjà là-bas derrière. Plus loin que tout. J'entendais plus. Je sentais plus. Et je l'ai laissé là, le père, sur son lit de feu et de sang. Mon sang. J'ai fermé la porte de la grange et puis je suis parti… Et toi, Mosquito ?

Pour la troisième fois le fil d'acier courut sur mon torse. Bandit ne plantait pas la lame, ne l'enfonçait pas. Il s'en servait comme d'un rasoir : pour tailler, pour graver, pour marquer ma chair de son empreinte. Pour que je n'oublie pas.

— Et toi ? répéta-t-il. Qu'est-ce que tu es prêt à perdre ? Un doigt ? Deux doigts ? C'est pas assez ! Ça suffit pas !... La vie ? Quand on veut tuer, il faut être prêt à mourir ! Tu croyais peut-être savoir, mais tu ne sais rien ! Tout s'apprend, je te l'ai dit. La ruse et la rage. La solitude. La souffrance et la haine. Il te reste tout à apprendre !

Le trou noir de sa bouche béait juste devant moi. Au-delà, tout était devenu flou. J'avais la sensation de me vider. Le sang suintait de mes blessures, et dans le même ruisseau s'écoulaient mes forces et mes pensées et jusqu'à la douleur elle-même.

Soudain, mes genoux fléchirent – Félicia, à présent, me soutenait plus qu'elle ne m'entravait. Les portes se refermaient sur moi. Une à une. Toutes les portes. Les bruits de la tourmente s'estompaient au fur et à mesure. Le tonnerre et la pluie, les rugissements du vent.

Juste avant que je ne m'écroule, Bandit passa sa main derrière ma nuque. Il attira mon visage vers le sien. Posa son front contre mon front. Seul me restait le fil de sa voix, tendu à rompre.

— C'est la seconde chance que je t'accorde, fils. Second avertissement. Le dernier. La prochaine fois, ne me rate pas !

Puis le fil se brisa.

La dernière vision que j'eus fut celle de Sox le chien assis sur ses pattes de derrière. L'animal, de son œil unique, me regardait tomber.

Ce n'est que plus tard, bien plus tard, que je saisirais le sens réel et toute la portée des paroles de Bandit.

S'il y avait au moins un point sur lequel il avait raison, c'était que j'avais encore beaucoup à apprendre. Y compris haïr. Y compris aimer. Il me faudrait du temps mais ce n'était pas ce qui me manquait. Je ne possédais, pour ainsi dire, que ça.

La troupe était à nouveau sur le départ. Prête à lever le camp. J'avais repris ma place sur le chariot, au côté de la baronne. Des cataplasmes encore humides et chauds sous ma chemise. Paloma m'avait soigné. Elle m'avait veillé, seule, jalousement seule, durant ces quelques jours et nuits de fièvre. J'aime à penser que c'est le sel de ses larmes qui a cautérisé mes plaies.

Paloma, sans doute, m'avait sauvé la vie pour la deuxième fois.

C'était un matin clair. La tempête était passée. Le soleil refaisait surface. La terre finirait bientôt de sécher. Nous attendions le signal, moi comme les autres. Du haut du chariot je les observais, ces hommes, ces femmes : brigands, hors-la-loi, desperados, épouvantails accoutrés de hardes volées, trop amples ou trop serrées, guerriers en guenilles. Grotesques et terrifiants. Et je songeais qu'ils étaient désormais ma seule famille.

Oui. Je n'avais plus qu'eux. À haïr. À aimer.

Là-bas, les ultimes nuages s'effilochaient dans le ciel. Poussières. Puis filaments de poussières. L'horizon se redéployait devant moi. Une étendue vierge. Sans limites. Hormis celles que l'on se fixe.

Je me souvenais des mots de Paloma lors de ma première tentative d'évasion : « Par ici, il n'y a rien. Par-là non plus. Par-là encore moins… »

Alors, quel était le chemin ? Et où conduisait-il ?

À moi de le découvrir.

Je sais, aujourd'hui, que nul n'échappe à son destin.

C'était un matin clair, oui. Quelqu'un siffla entre ses doigts. La baronne fit claquer ses rênes. Et le convoi s'ébranla comme un seul homme.

II

L'Arbre aux Pendus

11

Les airs de valse sont des trésors sacrés

Le Ventre du Diable bouillonnait comme toutes les cuves de l'enfer. La canicule semblait s'y être installée pour l'éternité. En réalité, elle dura encore trois mois pleins. C'est aussi le temps qu'il me fallut pour cicatriser. Je ne parle que des blessures apparentes, celles que seul mon corps avait endurées. Pour ce qui était des coups portés à l'intérieur, au plus profond de mon cœur, de mon âme, la douleur mettrait beaucoup plus longtemps à s'apaiser. Il en est même certains dont la trace demeure aujourd'hui encore, malgré toutes ces années passées. Cela fait comme une palpitation soudaine, fulgurante, comme un morceau de charbon enfoui sous les cendres, que l'on croyait froid, éteint à jamais, et que le simple souffle du souvenir ranime brusquement. Tisons incandescents. Cent vies vécues ne suffiraient à les étouffer.

L'âge aidant, il n'est pas impossible que ce soit à l'une de ces brûlures qu'un de ces jours je succombe.

Trop de mémoire vive.

Trois mois, disais-je. Quatre-vingt-dix jours et nuits dans la fournaise. Fidèle à ses principes de précaution, la troupe écumait la région. En long, en large, en travers. À peine signalait-on notre présence en tel lieu que nous étions déjà ailleurs. Toujours posséder une longueur d'avance sur nos poursuivants. C'était là une règle élémentaire de survie.

Bien sûr, les soldats de l'armée gouvernementale étaient à nos trousses, mais ils n'étaient pas les seuls. Bandit était l'homme le plus recherché du pays. Sa tête était mise à prix, ainsi que celles de ses principaux lieutenants, et chacune valait son pesant d'or. De quoi attiser la convoitise des chasseurs de primes et autres mercenaires de tout poil. Quelques-uns étaient prêts à vendre leur propre mère pour rapporter le scalp de notre chef. Celui qui aurait réussi cet exploit en aurait retiré fortune et gloire. Mais l'entreprise était à leurs risques et périls. Une bonne moitié de ces téméraires s'en retournait bredouille. L'autre moitié ne s'en retournait jamais.

Dans notre sillage fleurissaient des carcasses qui servaient de perchoir aux vautours.

J'étais bien placé pour savoir combien le cœur de Bandit était difficile à atteindre, fût-ce d'une balle de Winchester ou d'un coup de poignard.

Ma vengeance demeurait inassouvie, néanmoins ma tentative n'avait pas été tout à fait vaine. Je sentais qu'un changement s'était produit à mon égard. Quelque chose de subtil et cependant perceptible. Les membres de la troupe me regardaient d'un autre œil. Je finis par comprendre que mon coup d'éclat contre Bandit les avait fortement impressionnés. J'avais certes agi dans un état second, dans un accès de fureur inconsciente, mais j'avais agi ! Le seul fait que j'eusse osé m'attaquer à leur chef, que j'eusse osé affronter cet homme que tous redoutaient au plus haut point, constituait pour eux un acte de bravoure sans équivalent. Pas un ne s'y serait risqué.

Sans le vouloir, j'avais ainsi acquis dans leur esprit une autre dimension. Et cette flamme nouvelle que je devinais au fond de leurs pupilles était celle du respect et de la considération.

Les hommes se jugent à leurs actes.

Trois longues balafres sillonnaient mon torse. Mais peu à peu, je me rétablissais. Peu à peu ces plaies sur ma poitrine s'estompaient, comme s'estompait le souvenir de mon ancienne existence. Plus nous avancions et plus je m'en éloignais. Laissant derrière moi mon enfance et de ces petits cailloux blancs, étincelants, que l'on nomme parfois « illusions ». Des cailloux qui s'effritent inexorablement.

Tout s'apprend, m'avait dit Bandit. L'amour, la haine, la patience, la ruse, la cruauté... Oui, tout s'apprend, c'est vrai. Et déjà, à mesure que les jours passaient, de profondes mutations s'opéraient en moi. Lentement mais sûrement je gagnais en robustesse et en maturité. Je me forgeais une solide carapace enfin adaptée à cet univers sans pitié. Mon corps comme mon esprit s'endurcissaient.

Si bien qu'au terme de ces trois mois, lorsque le Muet me plaça entre les mains un poulet vivant – me signifiant par là qu'il était temps que je me remette à la tâche –, je considérai un bref instant le volatile... puis lui rompis le cou d'un seul et sec mouvement.

Sans l'ombre d'une hésitation.

— Du gros sel ! tonna soudain la baronne en se tournant vers moi. Mosquito, va donc voir au fond du chariot, y d'vrait en rester une barrique.

Tordant la bouche, elle souffla sur une longue mèche échappée de son chignon et ajouta de sa voix rauque : « S'il te plaît. »

J'empoignai alors une lampe à huile et me dirigeai vers l'arrière du campement. Puis j'escaladai le hayon du chariot et entrepris de me frayer un passage à travers l'amoncellement de sacs et de tonneaux qui l'encombraient. Des tonnes de victuailles. Nous avions fait le plein deux jours plus tôt ; les vivres ne manquaient pas. Quelques volailles, dérangées dans leur sommeil, s'agitèrent derrière le grillage de leur caisse en roulant des yeux effarés.

Je finis par repérer la barrique de sel et parvins à la coincer tant bien que mal sous mon bras libre. Ainsi chargé, je m'apprêtais à faire demi-tour quand je sentis quelque chose s'agripper à mon pantalon. On eût dit une griffe ou une serre. En me penchant, je vis qu'il s'agissait tout bonnement d'un bout de ferrure tordu dépassant d'une malle. Le tissu y était resté accroché. Je reposai la barrique et réussis à dégager ma jambe de pantalon sans la déchirer. Mais, au lieu de repartir, je demeurai là, le regard rivé à la malle.

Celle-ci était énorme. Elle occupait le fond du chariot sur toute sa largeur. Je l'avais toujours vue à cette place, et je savais qu'elle appartenait à la baronne. Toutes ses affaires personnelles y étaient conservées. Tout ce qu'elle avait gardé de plus cher dans son existence. Mais qu'était-ce donc, en réalité ? Quelle était la teneur de ce trésor ?

Il ne m'était encore jamais venu à l'idée de le vérifier. Et je ne saurai jamais pourquoi ce soir-là, pour la première fois, le besoin me prit de le découvrir. Un besoin irrépressible.

Après avoir constaté, non sans un certain étonnement, qu'aucune clé ni cadenas n'en condamnait l'accès, je me décidai à l'ouvrir. Le couvercle était lourd : je dus poser la lampe et m'y prendre à deux mains pour le soulever. Enfin, le cœur battant, je plongeai mon regard à l'intérieur du coffre.

Je fus d'abord déçu. Mes yeux s'étant accoutumés à la pénombre, je ne distinguai à première vue qu'un tas de vêtements. De ces précieux chiffons à volants et frous-frous qu'affectionnait la baronne. Mais je ne voulus pas croire que la malle ne tenait lieu que de vulgaire garde-robe. Aussi, avec précaution, je me mis à soulever les différentes couches d'habits afin de fouiller plus en profondeur.

J'étais déjà à demi enfoncé dans la gueule béante de la malle lorsque mes doigts rencontrèrent enfin quelque chose de dur. Je saisis l'objet et le ramenai doucement à la surface. C'était une petite boîte en bois, de forme rectangulaire. Je la considérai un instant, luttant contre le sentiment que j'étais sur le point de commettre un sacrilège, ou, pour le moins, un geste éminemment indiscret. Mais ma curiosité fut la plus forte. D'un seul coup, j'ouvris la boîte.

Elle ne contenait que trois choses : une feuille de papier, une bague, et une montre à gousset.

Je commençai par examiner la bague. Somptueux bijou. L'anneau d'or fin était surmonté d'une fleur dont le cœur était un diamant et les pétales des rubis. Et les précieuses pierres semblaient capter à elles seules toute la faible clarté de ma lampe. Cela n'était pas sans me rappeler les bijoux qui ornaient les mains délicates et soignées de ma mère. J'étais surpris que la baronne fût en possession d'un objet d'une telle valeur. L'aurait-elle dérobé ou, pire, arraché au doigt d'une riche victime ? En tout cas, j'étais certain de ne l'avoir jamais vue la porter.

Je reposai le bijou et tendis l'oreille, prenant soudain conscience que les minutes passaient et que mon retard pouvait paraître suspect. Mais, à travers la bâche du chariot, je ne perçus que des éclats de voix assourdis.

Je m'intéressai alors à la feuille, pliée en deux, qui tapissait le fond de la boîte. Le papier était rêche, légèrement jauni par le temps. Je le dépliai avec soin. Cela avait tout l'air d'une lettre manuscrite. Une vingtaine de lignes y étaient tracées, d'une écriture fine, serrée, mais non dénuée d'une certaine élégance. Et sans rature aucune. Cependant, je ne m'y attardai pas, car elle était rédigée dans une langue que j'ignorais – probablement un dialecte germanique. Impossible pour moi de la déchiffrer. Je la remisai donc à sa place et m'emparai du dernier objet : la montre.

Celle-ci était parfaitement ronde et lourde dans le creux de ma paume. De l'argent massif. Le couvercle fermé dissimulait le cadran. Sur le dessus ressortaient en relief deux initiales entrelacées : *ED*.

Je portai la montre à mon oreille, mais aucun tic-tac ne se fit entendre. Je passai ensuite un bon moment à essayer de l'ouvrir. En vain. Ce fut presque par hasard que je finis par appuyer sur le remontoir ; et là, mû par un ressort, l'abattant se souleva d'un bloc. Le cadran apparut. Les aiguilles étaient arrêtées à cinq heures pile. Mais mon regard fut surtout attiré par une minuscule photo en médaillon, insérée à l'intérieur du couvercle et protégée par une fine pellicule de verre. Elle représentait le portrait d'une très jeune femme, dont les boucles ruisselaient en claire cascade de chaque côté du visage. Je n'eus guère le loisir d'en observer davantage. En effet, un mécanisme se déclencha tout à coup à l'intérieur du boîtier et des notes de musique s'égrenèrent. Je sursautai, manquant lâcher la montre. Ce qu'on entendait, en guise de carillon, était un petit air de valse mélancolique et cristallin ; j'eus pourtant l'impression qu'il résonnait à des kilomètres à la ronde. D'un geste vif je rabattis le couvercle. La musique cessa.

Immobile, tendu, je fus de nouveau à l'affût. Guettant les moindres bruits extérieurs. Et cette fois-ci, il me sembla... Oui ! Des pas ! Entre les cognées de mon cœur et le bourdonnement de mon sang, c'étaient bien des pas que je percevais. Quelqu'un venait !

Aussitôt, dans un réflexe incontrôlé, je glissai la montre au fond de ma poche. Puis je refermai le coffret en bois, le fourrai au jugé sous les piles de robes, et refermai à son tour le lourd couvercle de la malle en m'efforçant de ne pas le faire claquer.

Les pas se rapprochaient.

Quand le pan de la bâche s'écarta, à l'arrière du chariot, je reconnus immédiatement la haute silhouette du Muet qui se découpait à contre-jour, dans la clarté de la lune pleine. J'avais la lampe dans la main gauche, la barrique de sel coincée sous le bras droit. Je me faufilai vers la sortie en espérant que le tremblement qui m'agitait ne se remarquerait pas.

— J'ai trouvé... grommelai-je à l'adresse du Muet.

Ce dernier ne broncha pas. Il me fixait d'un regard perçant que je n'eus pas le cran de soutenir. Je sautai sans attendre par-dessus le hayon et m'éloignai à grandes enjambées vers le centre du campement.

— Alors, tu t'es perdu en route, Mosquito ? lança la baronne tandis que je la rejoignais.

Je m'abstins de répondre. Ses yeux à elle, d'un bleu étonnamment clair, me dardèrent un moment d'un éclat à la fois inquisiteur et vaguement amusé. Puis elle les détourna, piochant dans la barrique une poignée de gros sel qu'elle jeta dans le chaudron suspendu devant elle. Exactement comme une sorcière préparant Dieu sait quelle maléfique potion.

Chose rare, nous n'avions pas allumé ce soir-là de ces imposants feux autour desquels la troupe, habituellement, se réunissait. Bandit l'avait interdit. Par prudence. Son instinct, ainsi que certains indices rapportés par ses éclaireurs, lui dictant cette conduite. Quelque ennemi rôdait peut-être dans les environs. Et les hautes flammes se repéraient de loin.

Nous nous en tenions donc au strict minimum. Le seul feu qui brûlait était celui sur lequel la baronne préparait sa tambouille. Tout en lui passant les divers ingrédients qu'elle ajoutait à sa recette, je ne pouvais m'empêcher de penser à la montre. Je la sentais, là, pesant dans ma poche, tout près de l'aine, et me procurant une curieuse sensation – comme une brûlure diffuse et assez désagréable.

Je n'étais pas un voleur. Et je me demandais encore ce qui avait bien pu me pousser à agir de la sorte. Du reste, je me fis la promesse de remettre l'objet à sa place à la première occasion.

Mais pas avant d'avoir élucidé le mystère de cette jeune femme dont je n'avais fait qu'entrevoir le portrait en médaillon…

La soupe fut bientôt prête. La baronne puisa à grands coups de louche dans la marmite, remplissant des écuelles que le Muet et moi distribuâmes à chacun. En l'absence de foyer, les hommes s'étaient répartis un peu partout, sans ordre apparent. Ils étaient fatigués et ils avaient faim. La plupart se brûlèrent la langue en avalant goulûment une première lampée. Ils crachèrent des jurons, puis se remirent aussitôt à boire à même leur gamelle. Pendant quelques minutes, on n'entendit plus que des clappements et autres bruits de bouche.

La nuit était tombée. La lune ronde, plus blanche que blonde, se tenait bas dans le ciel. Inondant les visages d'une lueur froide, blafarde, et durcissant par contraste les zones d'ombre. Cela donnait à la scène un aspect irréel et vaguement inquiétant. Un étranger débarquant à l'improviste aurait pu nous prendre pour une assemblée de spectres fraîchement resurgis de leurs tombes – et se demander quel rite affreux pouvait bien célébrer ce lugubre dîner.

Mais un étranger un peu sage aurait passé son chemin sans tarder.

C'est vrai que la troupe était particulièrement calme. Comme si l'espèce de couvre-feu décrété par Bandit s'était étendu à l'intérieur même de chacun des membres. Nul n'avait l'esprit à s'amuser. Quelque chose planait dans l'air, un danger, une menace, qui appesantissait l'atmosphère.

Une fois achevée ma tournée, je retournai auprès de la baronne.

— Pas de réclamation ? me demanda-t-elle.

En temps normal, c'était presque un rituel que d'entendre les hommes râler contre la cuisinière et la qualité des plats qu'elle leur concoctait.

Je fis signe que non. La baronne fit la moue et lâcha d'un ton dépité :

— Tant pis...

Sous le chaudron les flammes s'étaient raccourcies. Le plus gros du service était passé et la baronne commençait à souffler. Ses joues retrouvaient leur pâleur d'origine. Le long de ses tempes roulaient une à une d'épaisses gouttes de sueur qu'elle essuyait d'un geste machinal.

Puis elle se mit à fredonner, comme à son habitude, une de ces berceuses aux rudes consonances germaniques – sa langue natale. Je songeai inévitablement à la lettre dans le coffret.

Mystère.

Au fond, je ne savais pas grand-chose de cette femme. Ni, d'ailleurs, de tous ceux qui m'entouraient. Quels vents mauvais, quels tortueux chemins avaient fini par les réunir ici, dans les entrailles du diable ? Devant moi, la baronne avait quelquefois évoqué des fragments de souvenirs. Il y était question de Bavière et de Forêt-Noire, et des sept maris qu'elle prétendait avoir eus. Vérité ou affabulations ? Et à part ça ? Quelle était donc votre histoire, Mme la baronne Ernesta von Singer ?

Cette dernière interrompit brusquement mes réflexions.

— Tiens, fit-elle en me tendant deux nouvelles gamelles remplies à ras bord. Pour toi et la petite. Je vous ai gardé les os. C'est le meilleur.

Au milieu de l'épais liquide flottaient en effet deux gros os à moelle.

— Allez, va porter ça à ta dulcinée tant qu'elle est encore chaude ! ajouta la baronne.

Un mince sourire étira ses lèvres. J'y répondis par un regard noir. J'avais horreur de ces allusions et l'ogresse le savait. Je traversai tout le campement, une ration de soupe dans chaque main, en sentant rivée entre mes omoplates la pointe de ses petits yeux égrillards.

Paloma se tenait au milieu des chevaux qu'elle avait rassemblés. En m'apercevant, elle se hâta d'achever sa tâche. Puis elle se lava les mains et la figure, et nous allâmes tous deux nous asseoir dans un coin un peu à l'écart.

Nous mangeâmes en silence. Nul besoin de paroles. J'aimais par-dessus tout ces moments où il me semblait que nous étions seuls au monde. Isolés entre tous. Quelques minutes de quiétude, quelques heures parfois, dérobées à une vie de bruit et de fureur. Ces parenthèses n'appartenaient qu'à nous. Et ce soir encore, j'appréciai à sa juste valeur ce dîner intime en compagnie d'un ange.

L'ange en question était en train de rogner son os, d'aspirer voluptueusement la moelle qu'elle laissait fondre sur sa langue, tandis que je songeais un peu tardivement que j'aurais dû lui céder ma part. Pour finir, l'ange se lécha les doigts et poussa un léger soupir de contentement.

— Tu fais des progrès, Mosquito.

— Des progrès ?

— Cette soupe était un régal.

Je haussai les épaules.

— Je n'y suis pour rien. C'est la baronne qu'il faut féliciter.

— Un seul caillou ne fait pas le désert, déclara Paloma. Chaque grain compte. Chaque grain a sa place.

Elle usait souvent de ces formules imagées dont le sens, je l'avoue, ne m'était pas toujours évident.

— Paloma la philosophe… lâchai-je dans un murmure.

Elle me jeta un regard en coin.

— C'est quoi, une philosophe ? demanda-t-elle avec méfiance.

Pris au dépourvu, je laissai échapper un bref éclat de rire.

— Ma foi, dis-je, je suppose que c'est quelqu'un qui parle de cailloux dans le désert quand il est simplement question d'une soupe de pois !

Cette définition parut lui convenir. Elle se détendit et, s'allongeant sur le dos, conclut par :

— Tout est lié, Mosquito.

Là-dessus elle ferma les paupières, comme si elle s'apprêtait à s'assoupir. Je m'installai alors sur le flanc, la tête calée sur mon bras plié, et m'absorbai à nouveau dans une merveilleuse et béate contemplation.

Paloma seule était capable de tout me faire oublier. J'aurais pu la regarder pendant des heures et des heures. J'aurais pu apprendre par cœur le tracé de son visage, la moindre courbe, le moindre trait, le plus infime méandre de ses sourcils. Suivre la ligne de son cou, rester suspendu à ses cils ou m'envoler avec les ailes de son nez.

Hélas, il ne nous est pas permis de retenir ces instants de grâce autrement que dans les bulles du souvenir. L'heure tourne.

Si on m'avait dit, ma belle, ma toute belle, que le temps à passer ensemble nous était si chichement compté... Si j'avais su que le compte à rebours avait déjà commencé !

On ne peut pas parler de fraîcheur. Avec la nuit, la chaleur était juste un peu moins étouffante. Et j'étais bien. Jusqu'à ce que je perçoive un mouvement dans la périphérie de mon champ de vision. Malgré moi, je quittai Paloma des yeux.

Là-bas, de l'autre côté du campement, j'aperçus Bandit et le vieux Miguel. Ils s'étaient écartés d'une vingtaine de pas et se tenaient debout l'un près de l'autre, face à l'horizon. Ils me firent songer à deux coyotes prêts à hurler à la lune. Au bout d'une minute, Bandit se retourna et émit un discret sifflement. Aussitôt, deux nouvelles silhouettes se dressèrent simultanément et convergèrent vers lui. Je n'eus aucun mal à reconnaître la lourde démarche de Tuvio, ni celle, souple et chaloupée, de Félicia la danseuse. Ces deux-là rejoignirent les autres.

Cela ressemblait fort à une réunion d'état-major !

Le petit groupe se mit à discuter à voix basse. Puis je vis Bandit s'accroupir et tracer des signes sur le sol. J'ignore ce qu'il leur démontrait mais les trois autres, penchés autour de lui, semblaient approuver avec force hochements de tête.

Ce manège dura un bon moment et ne me disait rien qui vaille.

Paloma avait rouvert les paupières.

— Qu'est-ce qui se passe, d'après toi ? chuchotai-je en lui désignant le petit comité à l'autre bout du camp.

Elle se redressa et lança un regard dans cette direction. Pour toute réponse, elle finit par souffler :

— Les Kraore sont passés, la nuit dernière...

Un frisson hérissa ma peau. Les Kraore ! Les « hommes-caméléons », ainsi que les surnommait Paloma !

Cette nouvelle ne faisait que renforcer mes sombres pressentiments, car chaque passage de ces mystérieux personnages était suivi soit d'une fuite précipitée, soit d'une attaque sanglante. Leur venue n'augurait absolument rien de bon à mes yeux.

— Ça ne s'arrêtera jamais, hein ? crachai-je alors entre mes dents. Fuir, se battre, tuer ou être tué, et puis fuir encore, se battre encore...

— C'est vrai, me coupa Paloma. On pourrait y mettre fin et se soumettre à la loi des tout-puissants. Les riches. Les maîtres. Ceux qui possèdent la terre et l'or. Ceux qui gouvernent. On pourrait accepter de ramper à leurs pieds. De lécher leurs bottes. On pourrait les remercier pour les miettes qu'ils veulent bien nous laisser. On pourrait les bénir de nous garder comme esclaves.

Elle avait dit ça d'un ton neutre qui me fit froid dans le dos.

— Je suis sûr qu'il y a d'autres solutions, Paloma !

— Lesquelles, Mosquito ? Je t'écoute.

— Ceux qui gouvernent, comme tu dis, ne sont pas tous des êtres cruels et sans morale. Certains désirent sincèrement la justice pour tous. L'équité. Pourquoi ne pas leur faire confiance ?... (Après une courte hésitation, j'ajoutai :) On pourrait partager, Paloma !

Elle dévoila lentement ses dents, étincelantes comme des perles sous la clarté lunaire. C'était un sourire sans joie aucune. Un sourire de louve.

— Tu vivais dans des palais, Mosquito. Tu dormais entre des draps de soie. Tu mangeais sur des nappes brodées, dans des assiettes de porcelaine plus blanche que du lait... Combien de fois as-tu cédé ta chambre à un mendiant sans toit ? Combien de fois as-tu vu un pauvre assis à ta table parmi les invités ? Même les os, c'est à vos chiens que vous les jetiez !... Mais peut-être que ton père donnait ses bottes usées à son palefrenier ? C'est ça que tu appelles partager, Mosquito ? C'est ça ?

Paloma se tut. Son regard me fouillait jusqu'au tréfonds.

— Je n'étais qu'un enfant, dis-je d'une voix faible. Je ne savais rien de la misère.

— Ton père savait. Et ta mère. Et tous ceux de leur espèce. Ils savent, crois-moi. Mais ils restent sourds aux cris qui percent derrière les murs de leurs maisons. Des cris de faim et de souffrance. Bandit te l'a déjà dit : la seule chose qu'ils sont capables d'entendre, c'est la voix des fusils !

Que pouvais-je répondre à cela ? Les arguments de Paloma me faisaient mal, mais je ne pouvais nier qu'ils comportaient une grande part de vérité. Et je me demandais dans quelle mesure, malgré mon jeune âge, j'étais moi aussi responsable de cette situation.

Durant quelques instants défilèrent devant mes yeux ces visages aperçus lors de notre court périple en diligence. Ceux de tous ces pauvres hères croisés au bord des routes ou dans les villages. Poignantes images de paysans en haillons, de gamins faméliques accourant au passage de notre cortège. Par la fenêtre j'avais eu le temps d'entrevoir leurs mains sales, décharnées, désespérément tendues vers nous, avant qu'elles soient noyées dans un nuage de poussière. Je me rappelais ces vieillards assis dans l'ombre des cahutes, leurs membres estropiés, leurs bouches édentées, leur regard vide, tellement immobiles que les mouches couraient sans crainte sur leurs paupières. Qu'attendaient-ils ainsi ?

Je me souvins aussi de cet homme qui, dans un geste de défi et de mépris, avait craché sur les souliers de mon père.

Comme si elle avait suivi pas à pas le cours de mes pensées, Paloma reprit :

— Tous ceux que tu vois ici, autour de toi, ne sont pas nés avec la rage au fond du cœur. C'est plus tard qu'elle est venue et qu'elle a grandi. Après qu'on les a piétinés, écrasés, humiliés, après qu'on les a enfoncés plus bas que terre... Je suis sûr que tu peux comprendre, Mosquito. Quand on t'a tout pris, qu'est-ce qu'il te reste, là ?

En disant cela, elle allongea brusquement le bras et posa une main à plat sur mon torse. Juste à l'endroit où Bandit m'avait marqué au couteau. Même à travers le tissu de ma chemise, je pouvais sentir la chaleur de sa paume irradier mes blessures.

Paloma demeura un moment dans cette position. Puis, d'un seul coup, elle me tourna le dos et se recoucha en soufflant :

— Bonne nuit.

Ma nuit ne fut pas bonne.

Je me tins longtemps éveillé, la peau encore frémissante du contact de sa main, l'esprit troublé par ses paroles. Comme souvent, Paloma avait touché juste. Je ressassais ce qu'elle m'avait dit. J'essayais de le digérer. Elle-même s'était endormie ou feignait de l'être.

Le feu, sous le chaudron de la baronne, se changea en petit tas de cendres constellé de minuscules étoiles orange. Pareil à un dérisoire reflet du ciel. Peu à peu les rares bribes de discussion cessèrent, les quelques silhouettes errantes se trouvèrent une place, et bientôt la troupe entière sombra dans le silence.

Des corps étendus par terre. De vagues tertres de chair. Des cadavres en puissance ?

Noires réflexions.

La lune était toujours là, pâle et basse. Juste en dessous, Bandit et sa garde poursuivaient leur conciliabule. Je serais incapable de dire au bout de combien de temps ils se dispersèrent. Tuvio et Félicia regagnèrent d'abord leur coin et se couchèrent. Comme au début, il n'y eut plus que Bandit et le vieux Miguel. Celui-ci tétait la pipe éteinte qui lui pendait sempiternellement au coin du bec. À un moment, il tourna la tête dans ma direction. Par hasard, je présume. Nos regards se rencontrèrent. Malgré la distance, je pus ressentir toutes les ondes mauvaises qu'il m'envoyait. Miguel l'ancêtre ne m'avait jamais aimé. Si cela n'avait tenu qu'à lui, on m'aurait depuis longtemps laissé en pâture aux busards et aux insatiables fourmis rouges.

Sans même ôter sa bouffarde de la bouche, le vieux lança un crachat vers moi, en guise de bonsoir. Puis il s'éloigna à son tour.

Bandit resta seul. Face tournée vers l'horizon, vers l'immensité désertique qui s'étendait devant lui. Tel le maître des lieux surveillant son territoire. Son domaine.

Je n'avais jamais vu Bandit s'étendre pour dormir. Et je me dis parfois que ses propres rêves étaient la seule chose qui lui faisait peur.

Le sommeil m'assomma par surprise.

Il fut de courte durée.

L'aube pointait à peine quand je fus brutalement réveillé par un bruit que je commençais à bien connaître : celui des balles sifflant à mes oreilles.

12

Les élans du cœur sont des armes blanches

J'ouvris les yeux et la première chose que je vis fut deux ombres déployées dans le rose du ciel.

Des vautours.

Ils étaient déjà là. Très haut encore, bien au-dessus de la mêlée, mais leur seule présence était un signe qui ne trompait pas : la mort rôdait. Les charognards planaient en attendant leur heure.

Une nouvelle salve retentit, m'obligeant illico à redescendre sur terre. Une balle se ficha dans le sol, à moins d'un mètre de moi, et une poignée de sable me gicla au visage. Ce fut comme le signal de départ d'un bruyant et discordant concert qui, d'un seul coup, éclata à mes tympans.

— Paloma ! m'écriai-je en me retournant.

Mon cœur fit un bond dans sa cage quand je m'aperçus qu'elle n'était plus à mon côté. Je jetai alors un œil vers le centre du campement. Il y régnait le plus grand désordre. Dans la faible lueur de l'aube, des silhouettes se mouvaient en tous sens. Des hommes rampaient ; d'autres avançaient courbés en deux comme des primates ; d'autres encore s'étaient dressés et zigzaguaient tels des déments cherchant désespérément une issue aux quatre coins de leur cellule.

Nulle part je ne vis Paloma.

Je l'appelai une nouvelle fois. Peine perdue. Mon cri fut noyé dans la cacophonie ambiante. Un autre projectile provoqua un geyser tout près de mon épaule. Je roulai sur moi-même, puis me jetai derrière un tonneau. Mon pouls battait à la vitesse d'une locomotive lancée. Recroquevillé derrière mon abri de fortune, je haletai pendant un instant avant de risquer un coup d'œil vers nos assaillants.

Je ne savais même pas qui nous tirait dessus !

L'endroit où nous avions établi le camp formait une large cuvette, naturelle et peu profonde. Au-delà du pourtour légèrement incurvé je distinguai, distant d'une centaine de mètres, un groupe de cavaliers. Peut-être cinquante ou soixante hommes. Ils étaient en train de se déployer sur nos flancs, à l'est comme à l'ouest, sans doute dans le but de nous encercler. Leurs revolvers crépitaient, de la gueule des armes fusaient des éclairs, et cela ressemblait au fugace scintillement d'étoiles à travers le brouillard de poussière que soulevaient les bêtes au galop. Tout allait vite, tout était flou. Puis, soudain, un détail me sauta aux yeux dans la tenue de ces hommes : ils portaient un uniforme.

Des soldats !

Je n'eus pas plus tôt fait cette découverte qu'un choc ébranla le tonneau qui me protégeait. Le bois creva sous l'impact avec un bruit mat. Dieu merci, la balle ne l'avait pas traversé de part en part. Mais, au bout de quelques secondes, je vis ruisseler à mes pieds des filets de vin noirâtre. Le liquide s'étalait lentement de chaque côté du tonneau, formant bientôt une flaque sur le sable. Rien n'aurait pu davantage me faire penser à une mare de sang.

Le combat redoubla d'intensité. La troupe avait commencé à répliquer et un véritable déluge de coups de feu s'abattait dans le désert. Partout autour de moi les armes crachaient. Dans mes oreilles enflait une sorte de bourdonnement continu qui me remplissait le crâne. Mes os vibraient à chaque détonation. Et l'air, peu à peu, s'empuantit d'une âcre odeur de poudre brûlée.

Tout à coup, au milieu du vacarme, il me sembla entendre quelqu'un crier mon nom. Je tournai la tête et finis par apercevoir la baronne. Elle se tenait debout derrière un chariot en compagnie de quelques autres. L'ogresse n'était pas en reste: le canon de son fusil fumait comme un tuyau de cheminée. Entre deux tirs elle m'adressa de grands signes et hurla à nouveau quelque chose que je ne pus comprendre. Sans doute voulait-elle que je les rejoigne, pour un abri plus sûr, mais, recroquevillé derrière mon tonneau, je n'osais pas remuer d'un pouce.

Les soldats gagnaient du terrain. Déjà, ceux qui se trouvaient à chaque extrémité des ailes n'étaient plus qu'à une cinquantaine de mètres du camp. C'est alors que se succédèrent plusieurs événements absolument incroyables, pareils à ceux qui se déroulent en rêve, nous laissant au réveil une impression de vitesse et de confusion.

Tout d'abord, il y eut le coup d'éclat insensé de Tuvio.

Surgi d'on ne sait où, le colosse déboula en plein centre du campement. À son cou pendait une paire de sacoches. Il plongea son énorme main dans l'une d'elles et en retira... un bâton de dynamite. De son autre main, il frotta une allumette contre sa cuisse et alluma la mèche qui, aussitôt, se mit à crépiter. Tuvio arma son bras. Juste au moment de lâcher l'explosif, il hurla d'une voix à faire trembler les cornes du diable :

— Arrrrrrriba !

Ce cri terrible fut alors suivi d'un étrange silence, durant lequel le bâton de dynamite tournoya dans le halo doré du soleil naissant.

Courte trêve.

Le fracas de l'explosion abrogea tous les autres bruits ; son écho se répercuta sur les invisibles parois de l'air, et jusqu'aux confins du désert la terre vibra et gronda. Trois cavaliers s'écroulèrent avec leurs montures, un quatrième fut projeté à cinq mètres du sol avant de retomber, parmi la pluie de sable et de rocaille, comme un pantin désarticulé.

Mais déjà un autre bâton mortel grésillait dans la main de Tuvio. Dès lors, et jusqu'à la fin du combat, le colosse n'allait plus cesser de puiser dans ses sacoches bourrées d'explosifs, les lançant à tour de bras en poussant son phénoménal cri de guerre. Dressé en plein cœur du vortex, solide comme un roc, insensible à la peur et au danger, rien ne le ferait plier. Pas même les six balles qui lui cribleraient le corps.

Mais nous n'en étions pas encore là.

Le deuxième événement majeur fut la réapparition de Paloma.

À peine la première explosion venait-elle de frapper les rangs ennemis qu'un mouvement se produisit du côté du corral. Et tout à coup arriva droit sur nous une douzaine de nos chevaux. Quelle ne fut pas ma stupéfaction de reconnaître Paloma, juchée sur son pur-sang, galoper en tête du troupeau ! C'était elle qui menait les bêtes, toutes encore dépourvues de cavaliers. Elle passa non loin de moi, splendide déesse échevelée, et je restai bouche bée devant tant de hardiesse et de beauté.

Paloma guida les chevaux jusque devant les chariots. Je vis alors Bandit sauter d'un bond sur sa jument, aussitôt imité par d'autres membres de la troupe.

Ce fut le début de la contre-offensive. À cru sur leurs montures, d'une main empoignant les crinières, de l'autre serrant la poignée des colts, les cavaliers se lancèrent à l'assaut de l'ennemi.

Et Paloma s'éloigna avec eux, dans un nuage de poussière et de fumée ocre.

Que faire ? Allais-je demeurer là sans bouger derrière mon tonneau pendant que tous risquaient leur peau ? Je pataugeais maintenant dans une noire mélasse de sable et de vin. À l'odeur de poudre s'ajoutaient les forts effluves de l'alcool qui montaient du sol et m'emplissaient les narines. Mais j'étais peut-être le seul à ne pas être ivre. Il n'y avait qu'à voir avec quelle violence, avec quelle hargne les adversaires se jetaient dans la bataille ; il n'y avait qu'à saisir les rictus déformant leurs traits, les lueurs assassines de leurs regards, il n'y avait qu'à entendre les rugissements sauvages qu'ils poussaient pour comprendre à quel point tous ces hommes, toutes ces femmes étaient grisés, soûlés par le puissant nectar du sang !

Que faire ?

Le sort décida pour moi.

Mon abri fut la cible d'une nouvelle rafale. Cette fois-ci, le tonneau n'y résista pas. Le bois vola en éclats et le reste du liquide se répandit d'un seul coup à mes pieds. Je me retrouvai à découvert. Mon premier réflexe fut de courir et de me jeter à plat ventre au bas de la légère pente que formait le rebord de la cuvette. C'est à ce moment-là que je pris conscience qu'un petit groupe de soldats avait atteint les limites de notre campement. Débordant par les ailes, ils franchirent le monticule de terre et se ruèrent vers les chariots. Un tir nourri les y accueillit. L'un des cavaliers s'écroula sur le chaudron de la baronne, au milieu des cendres. Sa pauvre monture, désormais libre, poursuivit sa course folle avant de se prendre les pattes dans les rênes pendantes et de s'effondrer à son tour.

Cet échange de tirs rapprochés dura quelques instants. Jusqu'à ce que deux créatures fissent simultanément leur entrée en scène : il s'agissait du dénommé Enrique et de Sox le chien. Tous deux avaient en commun d'être borgnes et téméraires.

Enrique apparut soudain sur le toit du chariot. Dans ce contexte, son affreuse paupière couturée lui donnait un aspect encore plus terrifiant. Il se jeta sur un soldat qui passait à sa portée et l'entraîna dans sa chute. Les deux hommes roulèrent ensemble sur le sol avant d'entamer une lutte acharnée à mains nues.

Pendant ce temps, Sox avait fait irruption de dessous le chariot. Vif comme l'éclair, le petit bâtard allait d'un adversaire à l'autre, sautant sur tout ce qui remuait et mordant tout ce qui dépassait. Ses crocs se plantaient dans les jarrets des bêtes, dans les bottes des cavaliers, et si ses morsures n'étaient pas mortelles, elles étaient néanmoins douloureuses et déstabilisantes.

Bientôt toute la troupe suivit. À l'instar d'Enrique et de Sox, tous ceux qui étaient encore sur place quittèrent d'un même élan leur abri et se mêlèrent à l'empoignade.

L'un après l'autre les soldats furent désarçonnés. Sabres et couteaux jaillirent de leurs fourreaux. On se lança dans de furieux corps-à-corps, et la bataille se transforma alors en une sorte de danse collective et hystérique, un macabre ballet exécuté au rythme des cris, des râles et des formidables coups de cymbales de la dynamite.

J'étais en train de regarder la baronne étouffer un ennemi dans l'étau de son énorme poitrine lorsqu'un troisième événement se déclencha, d'une importance capitale.

Cela commença par un piétinement de sabots qui ébranla le sol juste au-dessus de moi. Je levai les yeux vers le sommet de la petite butte et découvris un cheval. Si près que je crus sentir le souffle de ses naseaux sur ma figure. L'animal renâclait et son cavalier devait maintenir les rênes au plus serré afin de le maîtriser. Pourtant, l'homme libéra soudain une de ses mains et la tendit dans ma direction.

— Vite ! cria-t-il. Montez ! Dépêchez-vous !

Totalement abasourdi, je le fixai sans réagir. L'homme attendait, penché sur sa selle. Son regard brûlait d'impatience. Il me fallut une poignée d'interminables secondes avant de le reconnaître.

C'était le capitaine de notre escorte ! Celui-là même qui commandait la petite escouade chargée d'assurer la protection de notre diligence. Je l'avais cru mort, lui aussi, tombé au cours de l'embuscade. Mais le valeureux soldat se trouvait bel et bien là devant mes yeux.

— Vite ! cria-t-il à nouveau. En selle ! Attrapez ma main !

Il n'était qu'à deux mètres de moi, pourtant sa voix me parvenait comme assourdie au milieu du tumulte. Son cheval piaffait, déclenchant de minuscules avalanches de sable qui retombaient sur moi.

Subitement, je me remis sur pied.

Au même instant, j'aperçus un second soldat qui arrivait au galop dans le dos du capitaine. L'homme tenait un revolver et lâchait des coups de feu à droite et à gauche. Avant même de stopper sa monture, il se mit à hurler :

— Nous n'avons plus l'avantage, capitaine, il faut nous replier !

Ce dernier ne parut pas l'entendre. Toujours penché vers moi, il continuait à m'encourager :

— Allez-y, prenez ma main ! Sautez !

Mais de nouveau je me retrouvai comme pétrifié. Quelque chose me retenait...

Des jours et des jours durant j'avais attendu cela. J'avais espéré, j'avais prié pour qu'on vienne m'arracher aux griffes de mes ravisseurs, pour qu'enfin sonne l'heure de ma délivrance. Et voilà qu'au moment où cette chance se présentait, je ne pouvais me décider à la saisir !

C'est que tout se bousculait dans ma tête. Mon pauvre crâne était submergé par un déferlement de doutes et d'interrogations. Et quand cette vague se retira, ne subsista plus sur le sable qu'un seul et unique visage : celui de Paloma.

Tout autour, le Ventre du Diable résonnait du fracas des armes. Un voile de fumée obstruait le ciel. Le capitaine m'exhortait à le suivre. Son second l'exhortait à faire retraite, la voix parfois couverte par les coups de revolver qu'il donnait afin de protéger leurs arrières.

C'est alors que lentement, très lentement, sans lâcher des yeux la main secourable tendue vers moi, je me mis à reculer.

— Qu'est-ce qui vous prend ? hurla le capitaine. Venez ! N'ayez pas peur !

Je n'avais pas peur. Et cependant je continuais à m'éloigner, pas à pas. Délibérément.

Le capitaine se tut. Sa bouche demeura à demi béante. Dans son regard brilla une lueur d'incrédulité. Comme s'il n'osait comprendre.

Mais tout à coup son corps fut agité d'un curieux soubresaut. On aurait dit qu'un poing invisible l'avait frappé à l'épaule. Il porta la main à cet endroit en laissant échapper un cri de douleur.

— Non !... murmurai-je en me figeant.

— Capitaine ! cria en même temps son second.

Puis, tournant vers moi sa figure déformée par la rage, ce dernier pointa le canon de son arme droit sur ma poitrine et cracha entre ses dents :

— Espèce de...

Il ne put achever sa phrase. Un éclair argenté traversa l'espace et l'atteignit en pleine gorge. Le soldat chavira. Sa monture se cabra, détala ensuite à toute allure, entraînant dans son sillage le cheval complètement affolé du capitaine. Par bonheur, celui-ci devait posséder encore assez de forces pour s'accrocher à l'animal, car il demeura en selle. Je le regardai s'éloigner, puis disparaître au bout de la plaine qui s'étendait vers le nord.

Enfin, je me retournai pour savoir quel était celui ou celle qui, en lançant son couteau sur le soldat, venait de me sauver la vie.

Je découvris derrière moi la longiligne carcasse du Muet.

Il me dévisageait de son air impénétrable. Statue de silence érigée en plein chaos. Impassible. Comme si rien, depuis longtemps, ne pouvait plus l'atteindre.

Je me souviens que, par un curieux phénomène de mimétisme, aucun son ne put franchir mes lèvres. Aucun mot ne me vint pour le remercier de ce qu'il avait fait. J'ose espérer que la seule expression de mon regard fut assez éloquente.

Le Muet fit demi-tour et repartit en direction des chariots.

À partir de là, le combat prit rapidement fin. Orphelins de leur chef, les derniers soldats s'égaillèrent de toutes parts. Débâcle évidente. Ceux qui restèrent sur place, face contre terre, ne pouvaient plus fuir nulle part.

Il y eut encore quelques spasmodiques coups de feu, puis les armes se turent. Je vis Tuvio le colosse, un explosif éteint à la main, tituber durant une poignée de secondes avant de choir lourdement sur son postérieur. Il demeura assis comme ça, avec le regard hébété d'un ivrogne, tandis que la baronne et deux autres femmes se précipitaient vers lui. Six balles, pas moins, lui avaient troué le cuir.

Puis le petit groupe de nos cavaliers s'en revint au galop et ce fut mon tour de chanceler, sous l'effet du soulagement : Paloma était bien présente parmi eux, au côté de Bandit. Saine et sauve. Le sol tangua devant moi et je fermai les yeux pour garder l'équilibre.

Nous avions gagné.

« Nous » ?... Oui, je pouvais le dire. Car, même si je n'avais pas participé activement au combat, les circonstances m'avaient forcé à prendre une décision, à m'engager.

En refusant la main du capitaine, j'avais choisi mon camp.

Le silence retombait sur le désert. Fumée et poussière se dissipaient. Et le soleil nous révéla bientôt, sous son implacable lumière, les corps étendus à terre.

Paloma sauta de son cheval avant même qu'il fût à l'arrêt.

— Mosquito, ça va ?

Encore secoué, je ne répondis pas tout de suite. Mes yeux se portèrent vers la butte où gisait le soldat à qui mon hésitation avait coûté la vie. Paloma suivit mon regard. Avait-elle vu ce qui s'était passé ? Avait-elle été témoin de mon attitude ? Elle n'y fit aucune allusion.

— Ça va, finis-je par répondre. Et toi ?

Elle acquiesça d'un signe.

— J'ai eu peur, confessai-je dans un souffle.

— Celui qui ne connaît pas la peur... commença Paloma.

Mais elle fut interrompue par la voix de Bandit. Dressé sur sa monture, le chef aboyait des ordres, distribuant les rôles à chacun sur un ton qui ne souffrait aucune discussion. Le temps pressait.

— Je veux que dans une heure on ait foutu le camp d'ici ! conclut-il avant de tourner bride.

Le bilan de la bataille était lourd : quatre morts parmi la troupe, et une dizaine de blessés. Mais ces hommes n'avaient pas pour habitude de s'apitoyer sur leur sort. Autant ils pouvaient se montrer solidaires entre eux et défendre avec acharnement la vie d'un compagnon, autant, lorsque cette vie s'était éteinte, ils l'acceptaient avec un fatalisme à toute épreuve.

Tous ceux qui étaient valides se mirent au travail sans barguigner. Nous fûmes divisés en trois groupes. Le premier, mené par la baronne, était chargé de rassembler les affaires et de ranger le matériel dans les chariots. Le deuxième, avec la grande perche de Rosa-Rosa en tête, devait donner les premiers soins aux blessés les plus atteints. Quant au troisième groupe, uniquement composé d'hommes, sa tâche consistait à creuser un vaste trou qui servirait de sépulture aux compagnons défunts.

Parmi les fossoyeurs de service se trouvaient les dénommés Javier et Cruz. Ces deux-là assistèrent bientôt à ce que d'aucuns n'hésiteraient pas à qualifier de miracle. En effet, ayant déjà aligné trois corps au fond de la fosse commune, ils s'apprêtaient à faire de même avec le quatrième. Ce dernier n'était autre qu'Artemio Xeres, le gnome nerveux et mauvais comme une teigne. Les deux hommes s'approchèrent de son cadavre. Cruz le saisit aux épaules, mais quand Javier s'empara de ses jambes, le cadavre se souleva d'un bloc en vociférant :

— Touche pas mes bottes, fils de hyène !

De saisissement, Javier laissa choir les pieds d'Artemio et faillit choir avec. Toute la troupe s'était retournée et contemplait, interloquée, ce mort qui parlait. Et non seulement celui-ci était encore capable de donner de la voix, mais il avait aussi l'œil pétillant de colère, la moustache frémissante d'indignation et son colt promptement dégainé à la main !

Bref, Artemio la teigne était bien vivant et fidèle à lui-même. Au bout de quelques secondes, son courroux sembla s'adoucir un brin. Il jeta un regard circulaire sur le camp et lança :

— Qu'est-ce qui s'passe ici ? Me dites pas que vous avez fait la nouba sans moi !

Soûl comme un cochon, Artemio ne s'était rendu compte de rien. Dans ces cas-là, seul le fait d'effleurer ses fameuses bottes pouvait le sortir de sa torpeur.

Cet incident permit d'évacuer la tension et de soulager un peu les nerfs. Le premier éclat de rire jaillit de la bouche d'Enrique. D'autres prirent le relais, tandis que de son côté Virgile tombait à genoux et se lançait dans une litanie de ferventes mais approximatives prières.

À compter de ce jour, Artemio troqua son surnom de « la teigne » pour celui d'Artemio « le revenant ».

Une heure plus tard, c'est lui en personne qui jeta la dernière pelletée de terre dans le tombeau de fortune où reposaient ceux qui, hélas, n'en étaient pas revenus. Comme à l'accoutumée, un simple et solennel « Salut, amigos ! » leur tint lieu d'oraison funèbre.

Nous étions prêts. La baronne trônait sur son chariot, le Muet sur le sien. Les blessés s'entassaient à l'arrière, entre caisses et barriques, les autres se tenaient en selle. Ne restait plus au vieux Miguel qu'à donner le départ. Il ôta sa bouffarde de la bouche pour lancer son coup de sifflet.

— Attendez ! m'écriai-je soudain.

L'ancêtre suspendit son geste et me foudroya du regard. Toutes les têtes pivotèrent dans ma direction. J'inspirai un bon coup, puis désignai les corps des soldats qui étaient demeurés étendus sur le champ de bataille.

— Ce n'est pas juste, dis-je. Eux aussi ont combattu. Ils n'ont fait que leur devoir. Eux aussi ont droit à une sépulture à peu près décente. On ne peut pas les laisser comme ça.

Un bref silence suivit, avant que Miguel ne réagisse :

— T'as qu'à rester ici avec eux, persifla-t-il. J'suis sûr que ça leur fera drôlement plaisir d'avoir une demoiselle de compagnie !

L'arrivée de Bandit coupa court aux ricanements qui fusaient. Celui-ci s'approcha au pas de sa jument. Il fit halte à mi-distance entre l'ancêtre et moi, puis me toisa un moment :

— Tu parles de ce qui est juste et de ce qui ne l'est pas, lâcha-t-il enfin. Alors, dis-moi un peu, Mosquito : de quel droit est-ce qu'on les laisserait, eux, crever de faim ?

Ce disant, il dressa son index vers le ciel. Là-haut, les vautours étaient maintenant une bonne dizaine à déployer leurs ailes au soleil.

— À chacun sa part, conclut Bandit. C'est pas ça, la justice ?

Là-dessus, il talonna sa jument et le strident sifflement de Miguel ne tarda pas à retentir.

La messe était dite.

Le vieux réemboucha sa pipe en me gratifiant d'un vilain rictus.

13

Les regrets sont des roses rouge sang

Ni les cahots de la route, ni la berceuse teutonne que fredonnait la baronne ne parvinrent à m'assoupir. Loin s'en fallait. Je ruminais en silence, rongeant non pas mon frein mais l'intérieur de mes lèvres qui s'en trouva bientôt à demi déchiqueté.

Nous avions déjà parcouru une bonne distance quand la baronne laissa tomber de sa voix éraillée :

— T'aurais pu en profiter, p'tit prince...

Je fronçai les sourcils.

— Profiter de quoi ?

— De l'occasion. Je suis pas aveugle, tu sais. J'ai bien vu ton manège avec le soldat. Faut parfois savoir saisir sa chance, Mosquito. C'est pas dit que t'auras droit à une deuxième avant longtemps.

— C'est ce que vous auriez fait, à ma place ? demandai-je après un instant de réflexion.

— Moi ? s'étonna la baronne. (Elle secoua doucement sa tête de poupée.) Jamais personne est v'nu me rechercher dans cet enfer, dit-elle.

— Et si c'était le cas ? insistai-je. Qu'est-ce que vous feriez ?

Bien qu'elle fixât l'horizon droit devant elle, il me sembla voir une lueur s'embraser au coin de ses yeux clairs. De ces étincelles que provoquent soit la nostalgie d'un souvenir heureux, soit la perspective du proche accomplissement d'un vœu.

Mais cela fut de courte durée.

— Ça n'arrivera pas ! affirma-t-elle, soufflant du même coup la flamme du passé et celle de l'avenir.

Je crus qu'ainsi la discussion était close. Pourtant, au bout de quelques instants, la baronne reprit :

— La vie, c't'une sacrément drôle de chose. Tu te crois bien installé, à l'abri, et badaboum ! v'là le plancher qui s'écroule sous tes pieds ou le plafond sur ta caboche. Le résultat est le même : c'est tout à reconstruire. À ce moment-là, ou bien t'abandonnes et tu restes allongé par terre en attendant que ça s'passe. Et quand c'est passé, c'est trop tard… Ou bien tu te relèves et tu retrousses tes manches.

« Mais y a pas trente-six choses qui te poussent à te relever. En vrai, y en a que deux. La première, c'est la rage. La colère, la haine – tu peux l'appeler comme tu voudras. La plupart du temps, c'est ça qui te remet debout. Tu serres les dents. Tu serres les fesses. Tu serres les poings pour cogner. Parce que tu veux rendre à la Terre entière les coups que tu as reçus… Qu'est-ce tu crois qu'ils font, tous ceux-là ?… Et la seconde chose, si t'as le bonheur d'être élu, c'est l'amour. Celle-là, c'est la meilleure, mais j'te garantis qu'elle est pas donnée à tout le monde !

La baronne avait adopté un ton que je ne lui connaissais pas. Au terme de cette confidence, elle se tourna vers moi. Jamais son visage de porcelaine ne m'avait paru aussi fragile. Ses lèvres esquissèrent un sourire gentiment désabusé.

— Moi, j'ai eu la chance d'être une grande amoureuse, mon p'tit prince !

Elle reprit sa berceuse et je n'osai la questionner davantage sur le sujet. Mais, puisqu'il était question d'amour, inévitablement mon regard s'en retourna vers Paloma. La belle chevauchait parmi le groupe de tête. Sa place y était tout à fait légitime, au côté de Bandit, de Miguel, de Félicia, de Salpajo et de quelques autres. L'élite de la horde. Sans doute Paloma était-elle de la même trempe qu'eux. Du même feu. Comme chaque fois, ce constat me laissait un sentiment mitigé où l'admiration le disputait à une sourde angoisse. Je tentai un instant d'imaginer cette amazone en train de prendre sagement le thé sous les lambris d'un luxueux salon, un joli ruban de soie emprisonnant sa chevelure de jais… Autant essayer de faire dormir une panthère dans une niche ! Ou Sox le chien sur les genoux d'une vieille duchesse.

Le fil de mes pensées fut soudain rompu par un cri de douleur accompagné d'une bordée de jurons. Cela provenait de l'arrière de notre chariot, et c'était une voix de femme.

— Santa Magdalena dans ses œuvres… ironisa la baronne.

Je n'ai jamais pu savoir s'il s'agissait là du véritable patronyme de la femme en question. Celle-ci affirmait à qui voulait l'entendre qu'elle était la réincarnation de Marie-Madeleine, la célèbre sainte. Ce dont on pouvait douter à en juger par ses airs de harpie et son langage de charretier.

En l'occurrence, la bougresse avait quelque raison de se plaindre. Le combat lui avait laissé deux côtes cassées et une épaule en compote. Le bandage sommaire dont on l'avait ceinte ne la soulageait guère des souffrances infligées par les secousses du trajet. Oubliant provisoirement son statut de canonisée, nous l'entendîmes une bonne minute durant exprimer sa douleur et sa hargne dans un chapelet d'insanités pour le moins blasphématoires.

Cela ramena mes réflexions sur la bataille qui venait d'avoir lieu.

— Tout ça, c'est encore la faute de ces maudits Kraore, n'est-ce pas ? Paloma les a vus traîner dans les parages, il y a deux nuits de ça. Chaque fois qu'on les aperçoit, on peut être sûr qu'une catastrophe va suivre. Et ça n'a pas loupé !

— Réfléchis un peu, Mosquito, rétorqua la baronne. C'est pas les Kraore qui provoquent la bagarre. Au contraire. Ils sont là pour nous prévenir, et la plupart du temps ça nous permet de l'éviter. T'as pas idée du nombre de fois où ces gars nous ont sauvé la mise. S'ils sont passés, c'est justement qu'ils avaient dû flairer quelque chose.

— Mais ça n'a rien évité du tout !

— Va savoir. P't-êt' que ç'aurait été pire... T'as pas remarqué que Bandit avait réuni le « conseil », hier soir ? Je sais pas c'qu'ils se sont raconté, mais ils ont palabré pendant des heures. C'est bien que le chef s'attendait à un coup de c'genre.

— Alors, la moindre des choses aurait été de nous prévenir tous !

— Il l'aurait fait, crois-moi. À mon avis, c'était juste une question de temps.

— De temps ! répétai-je avec un bref ricanement. Vous voulez dire qu'il comptait nous mettre au courant *après* la bataille ?

— Non. J'veux dire que ces salopards nous sont tombés dessus plus tôt que prévu. J'veux dire qu'ils étaient bigrement bien renseignés. Et j'veux dire que je trouve ça assez bizarre...

Le ton sur lequel la baronne avait prononcé cette dernière phrase me surprit et me troubla.

— Bizarre ? la relançai-je.

Elle confirma d'un signe de tête.

— Je vais te dire le fond de ma pensée, Mosquito. Je s'rais prête à parier qu'il y a un traître parmi nous.

Cette révélation me cloua littéralement sur le siège du chariot.

— Un... un... bégayai-je.

— Ouais, fit la baronne. Un foutu enfant d'salaud qui nous poignarde dans l'dos.

— Mais c'est impossible !

Je me trouvais presque offusqué que la baronne pût émettre de telles accusations.

— T'apprendras que tout est possible dans ce bas monde, insista-t-elle pourtant. Surtout le pire.

Elle semblait si convaincue de son fait que le doute finit par se frayer un chemin dans mon esprit. Du coup, je me pris à passer en revue tous les membres de la troupe. Mes yeux allèrent de l'un à l'autre, tentant de déceler sur chaque visage un signe distinctif de corruption. Qui pouvait bien être capable d'un acte aussi abject ? Malgré tous les vices et défauts de ces hommes, j'avais du mal à remettre en cause leur loyauté à l'égard de Bandit et du groupe en général.

La baronne se rendait-elle compte de la gravité de ses propos ? Elle n'avait pas l'air de s'en faire outre mesure. Son expression restait sereine, placide, les guides pendaient mollement entre ses doigts.

— Vraiment, dis-je, je ne vois pas qui pourrait faire ça.

— Hmm, hmm... fit la baronne. Certainement le même saligaud qui m'a volé mon bien.

Une nouvelle fois je tressaillis.

— Quoi ?

— Traître et voleur, les deux font la paire.

— Comment ça ? Je ne comprends pas.

— Cette nuit, quelqu'un a fouillé dans mes affaires, Mosquito. Et le bougre ne s'est pas gêné pour se servir.

Dieu merci, la baronne ne me regardait pas à cet instant, car je sentis tout à coup ma figure s'empourprer comme devant la bouche d'un four.

Le coffre !... La montre !...

J'avoue que les récents événements m'avaient fait oublier cette histoire. Mais le retour de manivelle fut terrible. Honte et frayeur me soulevèrent le cœur. Dire que l'objet du larcin était juste là au fond de ma poche, à quelques centimètres de la baronne ! J'eus soudain l'impression que la montre était aussi énorme qu'une montgolfière, et qu'elle enflait encore, dans des proportions qui n'allaient pas tarder à la faire éclater au grand jour en même temps que la sordide vérité !

S'ensuivit un moment d'extrême panique durant lequel je faillis me saisir de l'objet pour m'en débarrasser sur-le-champ. D'autant que, comme pour ajouter à ma confusion, la baronne s'était remise à fredonner, et le petit air qui s'échappait de ses lèvres était précisément celui qu'égrenait la montre. Mêmes notes ! Même mélodie !

Il me fallut des efforts inouïs pour retrouver un semblant de maîtrise. Le front en sueur, je demandai :

— Et... peut-on savoir ce qu'on vous a volé ?

La baronne interrompit de nouveau sa berceuse. Puis, au bout d'interminables secondes, elle laissa tomber :

— Ma jeunesse !

Là-dessus, elle se tourna et planta ses yeux transparents au fond des miens. Son regard n'était pas hostile, mais il me sondait avec une rare intensité. De tout le temps que cela dura, pas une fois elle ne cligna des paupières.

Pour ma part, je ne respirais plus.

Eut-elle pitié de moi ? Juste avant que je ne succombe à l'asphyxie, la baronne lâcha prise.

— Ma jeunesse, ma beauté, le miel de ma vie… soufflat-elle en détournant la tête. Tu veux connaître l'histoire, Mosquito ?

Je n'eus pas besoin de répondre. La baronne enchaîna illico, soulevant à mon attention un coin du lourd rideau qui masquait son passé.

— Il s'appelait Dieter, commença-t-elle. Dieter Friedrich von Singer. Futur baron de Regensburg, en Bavière. Vingt ans et des poussières, beau comme un dieu, tendre comme un faon qui vient de naître. Presque trop tendre… Je m'demande encore ce qu'il lui a pris de s'enticher de la petite paysanne que j'étais. Je savais battre le blé et saigner un cochon, ça oui, mais quoi d'autre ? Même pas la plus jolie fille du pays… On va dire que ce sont les mystères de l'amour.

« Mes parents travaillaient sur les terres du vieux baron, le père de Dieter. C'est comme ça qu'on a fini par se croiser, un jour, par hasard. Et puis le lendemain encore, et le surlendemain aussi, et là j'ai compris que c'était plus le hasard. À la fin de la semaine, j'ai eu droit à ma première rose. Une rose rouge. Tu penses bien qu'on m'avait jamais offert de fleurs ! Y avait que mon Dieter pour faire une chose pareille.

« On se donnait rendez-vous à l'étang. Tous les soirs ou presque, on se retrouvait là-bas en cachette. À cinq heures tapantes. Y avait une espèce de cabane de chasseurs, au bord de l'eau. C'était notre château à nous. Notre château secret.

« Parce qu'on était obligés de se cacher, figure-toi ! L'affaire était remontée aux oreilles du vieux baron et ça lui plaisait pas, mais alors pas du tout. Quoi ! Le fils du seigneur avec la fille du fermier ? Hors de question ! Passe ton chemin, la gueuse !... Le vieux ne voulait rien entendre. Je sais, c'est pas nouveau comme histoire. N'empêche que, mon Dieter, il a tenu bon. Autant qu'il a pu. Il a bravé la colère paternelle. Il s'échappait pour venir me voir. T'imagines pas tout ce qu'il a pu faire pour moi...

La baronne marqua une pause. Je suppose que ce qu'elle voyait à cet instant était tout autre chose que les quatre croupes dandinantes de notre attelage. Ses yeux portaient beaucoup plus loin. Et ils brillaient.

— Tu vois, reprit-elle, j'ai toujours dit que j'avais eu sept maris. Eh ben, c'est pas la vraie vérité. On ne s'est pas mariés, Dieter et moi. En tout cas, pas devant l'curé, avec messe et sacrements et tout le tralala. On avait prévu de le faire, pour sûr. On avait mijoté de filer en douce, un d'ces quatre, pour aller vivre ailleurs, dans un endroit où personne nous connaîtrait et où c'est qu'on pourrait s'aimer au grand jour. Mon Dieter, il avait vraiment envie que je devienne sa femme, tu comprends ?

« Alors on s'est mariés dans notre cabane, rien que tous les deux. Un soir, en plus de sa rose rouge, Dieter est arrivé à l'étang avec une bague. Et pas d'la camelote ! Un bijou comme je savais même pas que ça existait ! Le prince charmant s'est mis à genoux par terre, il m'a fait sa déclaration, puis il m'a passé la bague au doigt... Bon Dieu ! j'en ai pleuré de joie pendant deux nuits entières !

« Et c'était pas tout. Dieter possédait une montre. Une belle montre à gousset qu'il glissait dans la poche de son gilet. Quand on soulevait le couvercle, ça jouait un petit air. Souvent il me prenait dans ses bras et il me faisait danser, rien qu'avec la musique de sa montre. C'était notre orchestre à nous. On était dans notre château. Monsieur le baron et madame la baronne valsaient dans le grand salon… Il m'a montré qu'il avait fait graver nos deux initiales sur le dessus : *E* et *D*. Puis aussi, il s'était débrouillé de faire prendre mon portrait et de le plaquer à l'intérieur de la montre. "Comme ça, tu es toujours avec moi, il me disait. Juste là, sur mon cœur !"

Joignant le geste à la parole, la baronne lâcha la bride d'une main et se mit à tapoter doucement sur sa poitrine. Jusqu'à ce qu'un oiseau noir traverse le champ clair de ses iris.

— Ç'a duré tout un printemps et tout un été, dit-elle. Les plus belles saisons de ma vie… Et puis un soir, je suis allée à notre rendez-vous à l'étang. Mais Dieter n'était pas là. Il n'y avait que ses habits, par terre, sur la berge. Soigneusement pliés. Et posés sur les habits, avec ma rose du jour, il y avait une lettre, et il y avait sa montre. Les aiguilles arrêtées à cinq heures tapantes… Tout ça sur l'herbe au bord de l'eau, tu vois ? Comme si mon Dieter avait brusquement décidé de piquer une tête dans l'étang pour se rafraîchir. Mais c'était pas ça. J'ai tout de suite compris.

— Vous… vous voulez dire que…

— Oui, Mosquito. Il a bien plongé dans l'eau, mais il avait pas l'intention d'en ressortir.

— Mais enfin, pourquoi ?

— Parce qu'il m'aimait, dit la baronne.

Sa voix était plus fêlée que jamais, mais en même temps d'une extrême douceur. Cela me fit curieusement songer à une feuille d'automne qui se détache de sa branche et s'envole, emportée par la brise.

— Son père avait décidé de l'envoyer dans je ne sais quelle pension, poursuivit la baronne. À l'autre bout du monde. Juste pour l'éloigner de moi, une bonne fois pour toutes. Pour ça, on peut dire qu'il a réussi. Dieter devait partir le lendemain même. L'a pas supporté cette idée. Trop tendre, il était. Trop sensible. Il a préféré partir pour de bon…

« Quand ça s'est su, j'ai dû me sauver moi aussi. Quitter le pays. Le baron voulait me faire pendre. Comme si c'était ma faute. Comme si c'était pas sa faute à lui ! Tu vois, Mosquito, le vieux aurait dû savoir qu'il n'y a qu'une seule chose qui peut séparer les amoureux : c'est la mort !

« Moi, j'ai pas eu c'courage. Je me suis enfuie en emportant tout ce que Dieter m'avait laissé. La bague, la lettre, la montre. Et j'ai gardé son nom, aussi. Ça me paraissait la moindre des choses.

« Par la suite, j'ai connu d'autres hommes. C'est vrai. C'est la vie. Ils m'ont aimée et je les ai aimés. J'ai pas fait semblant. Mais si ce foutu bon Dieu existe et que je doive un jour me présenter devant Lui, j'veux que ce soit sous ce nom-là et pas un autre : baronne Ernesta von Singer ! »

La baronne se tut. La feuille d'automne se posa lentement sur le sol du désert. Il y eut un long silence durant lequel j'essayai de ravaler la boule qui obstruait ma gorge. J'ignorais ce qui m'avait valu l'honneur de ces confidences, mais s'il y avait quelqu'un qui ne s'en sentait pas digne à ce moment-là, c'était bien moi.

Misérable voleur. Infâme receleur de trésors intimes.

Pourtant, j'avais beau me flageller intérieurement, ma curiosité était au moins aussi forte que mes remords.

— Et la lettre ? finis-je par demander. Que disait-elle ? Je suppose que c'était une lettre d'adieu ?

La baronne haussa alors les épaules et me donna cette réponse déconcertante :

— Je suppose aussi.

— Comment ! m'exclamai-je. Vous ne l'avez pas lue ?

Devant ma mine interloquée, elle ne put s'empêcher de sourire.

— De mon temps, fit-elle, tu crois qu'on apprenait à lire aux filles de ferme ?... J'te l'ai dit, Mosquito : tout juste bonne à saigner les gorets !

Et son sourire se mua soudain en un formidable éclat de rire que les chevaux reprirent en hennissant.

14

Les racines du mal
sont les fruits du paradis

Nous chevauchâmes si longtemps que l'herbe se mit à pousser sous nos pas. Peut-être six jours et autant de nuits, peut-être davantage, sans quasiment mettre pied à terre. Les hommes finissaient par piquer du nez dans la crinière de leur monture, et les pauvres bêtes elles-mêmes s'endormaient en marchant. Étrange caravane, silencieuse, titubante, que les chiens sauvages regardaient se traîner sous la voûte du ciel.

Nous avions mis le cap au nord. La température baissa de plusieurs crans. Relief et paysage se modifièrent. Pour la première fois depuis des mois je vis apparaître parmi la végétation autre chose que des cactus ou des broussailles. Les chevaux foulèrent de l'herbe presque verte. Nous dûmes même traverser une véritable rivière, un cours d'eau de trois mètres de large qui me fit l'effet d'un fleuve en comparaison des misérables arroyos que nous avions connus jusque-là.

Un matin en se levant le soleil fit surgir du néant quelque chose qui ressemblait à une chaîne de hautes collines ou de basses montagnes. Loin, très loin encore à l'horizon. Les formes aux contours incertains tremblotaient derrière une brume de chaleur. Il n'empêche que cela n'était pas un mirage.

J'en vins à penser que nous allions franchir une frontière. Changer de pays, voire de continent. Nous étions tous épuisés et pourtant nul ne se plaignit tout au long de ce périple. Même Santa Magdalena, à l'arrière du chariot, avait bâillonné sa douleur. La baronne et moi nous relayions à la conduite, l'un prenant les guides quand l'autre, abruti de sommeil, sentait ses forces l'abandonner.

Et le voyage durait, durait.

À maintes reprises j'avais demandé à la baronne si elle connaissait notre destination. J'avais dû me contenter, en guise de réponse, d'une vague moue, d'un hochement de tête ou, plus rarement, d'un : « Tu verras, Mosquito. Tu verras… » Elle savait où nous allions. Tous les anciens de la troupe le savaient. Mais le seul fait de prononcer le nom de ce lieu semblait tenir du sacrilège. On ne brise pas le tabou, sous peine d'une perpétuelle malédiction.

Leur silence était empli à la fois de crainte et de respect.

Lorsque enfin nous touchâmes au but, je compris mieux pourquoi.

Ce fut notre soudaine immobilité qui m'éveilla. Je soulevai à demi les paupières, m'extirpant avec peine d'un de ces brefs et inconfortables sommes qui n'étaient rien moins que réparateurs. Corps fourbu, esprit hagard. Le chariot ne roulait plus. La baronne avait les coudes posés sur ses genoux, les guides pendouillaient entre ses doigts. J'ouvris alors les yeux en grand et constatai que le cortège entier était à l'arrêt. Tous les regards étaient tournés dans la même direction. Personne ne pipait mot. Le silence qui régnait me parut plus solennel que jamais – et si intense que je perçus le chuintement de la queue d'un cheval fouettant l'air.

Que voyaient-ils donc qui les impressionnait à ce point ? Une barrière de dos me bouchait la vue. Je me dressai lentement sur le siège du chariot, mon regard porta par-dessus les hommes à cheval, et je découvris à mon tour ce qui les plongeait tous dans cette muette contemplation.

C'était la Terre promise.

C'était le jardin d'Éden.

C'était une inconcevable oasis arrachée aux serres du désert. C'était un délicieux berceau de verdure sur lequel tous les dieux, c'est sûr, avaient dû se pencher...

Du moins fut-ce là ma première impression.

Une vaste prairie déroulait sous nos yeux son tapis d'un beau vert tendre, rehaussé ici et là d'une touche de blanc ou de jaune que composaient des parterres de fleurs. On aurait dit un petit bout de monde à part. Un atoll préservé. Mais n'étais-je pas en train de rêver ? Ce décor présentait un caractère si incongru, si féerique, que je n'eusse pas été étonné d'y voir évoluer des licornes ou des elfes, ou quelque autre créature de légende.

Souffle coupé, je retombai sur mon siège.

— On est arrivés... chuchota simplement la baronne.

Le cortège se remit en branle. Bandit, perché sur sa jument, ouvrait la voie. Nous pénétrâmes bientôt dans l'enceinte invisible de ce paradis, et plus nous avancions, plus je m'émerveillais de tout ce qui s'offrait à ma vue. Nous étions à la mi-journée. Le ciel était d'un bleu profond et pur. Le soleil paraissait n'être là que pour donner encore plus d'éclat aux corolles des fleurs, plus de couleur aux ailes des papillons et plus d'or aux limpides ruisseaux. Des sauterelles s'égaillaient par milliers à notre passage. L'herbe était épaisse et donnait envie de s'y rouler. Les chevaux en arrachaient de pleines touffes qu'ils mâchaient avec volupté, barbouillant leurs longues dents d'une sève régénérescente. Je les sentais tout à coup ragaillardis ; comme au sortir d'une longue hibernation, le sang se ravivait dans leurs veines et leurs naseaux frémissaient au parfum de printemps que la terre exhalait.

Les hommes n'y étaient pas insensibles non plus. Une à une de fiévreuses étincelles naissaient au fond de leurs prunelles, les regards brûlaient au milieu des faces hirsutes dévorées de barbe. La caravane avançait. Nous étions des explorateurs, des conquistadores, nous étions des pionniers découvrant un territoire vierge, foulant un sol que nul être humain n'avait encore foulé.

Foutaises !

Je me trompais, bien sûr. J'aurais dû me méfier. J'aurais dû me rappeler avec quelle facilité Bandit pouvait souffler le chaud et le froid. La vie et la mort. J'aurais dû mieux interpréter ce singulier silence dans lequel la troupe se murait.

Mais mon imagination s'était enflammée, et pendant quelques minutes encore l'illusion perdura. Précisément jusqu'à ce que nous atteignîmes le pied de l'Arbre.

J'avais remarqué cet arbre alors que nous en étions encore distants d'environ cinq cents mètres. Le convoi se dirigeait droit dessus. Et plus nous nous en rapprochions, plus je prenais conscience de son importance – j'entends par là son importance *physique*, celle qui me frappa en premier lieu.

Grands dieux, quel arbre !

Autant dire tout de suite que j'ignore à quelle espèce botanique il appartenait, car je n'ai jamais pu retrouver, ni dans la réalité, ni même dans les encyclopédies, un quelconque modèle qui lui ressemblât, fût-ce de loin. Ce qui d'ailleurs renforce ma conviction qu'il s'agissait d'un spécimen tout à fait unique : peut-être un rescapé de la nuit des temps, le dernier survivant d'âges immémoriaux, enraciné au cœur même de la création.

Plus qu'un arbre, c'était un monument. Une cathédrale végétale dont le faîte devait crever les nuages lorsqu'il y en avait. Il se dressait en plein centre de la prairie et donnait le sentiment que tout, en vérité, avait été aménagé autour de lui. Pour lui. En fonction de lui. Seigneur régnant sur son domaine. Gigantesque et majestueux. Cinquante hommes main dans la main n'eussent pas été de trop pour encercler son tronc. La couronne qui le ceignait, d'une envergure phénoménale, était étonnamment dépourvue de feuilles. Elle se composait d'un inextricable entrelacs de branches au bout desquelles, pourtant, pendait ce qui m'apparut d'abord comme de lourdes grappes de fruits mûrs.

Mais je dus là encore déchanter. Lorsque nous ne fûmes plus qu'à une centaine de mètres de ce géant, mon émerveillement céda la place à la stupeur. Peu à peu, pas à pas, ma vue se teinta d'une sorte de halo rougeâtre tandis qu'une sourde terreur creusait son nid au fond de mon estomac.

Nous parvînmes à l'orée du branchage. La troupe fit de nouveau halte. L'arbre, à présent, nous bouchait tout l'horizon. Je ne pouvais détacher mes yeux des énormes grappes se balançant sous ses branches les plus basses. L'un de ces fruits, en particulier, était entièrement recouvert d'un essaim de guêpes ; cela lui faisait comme une espèce de cocon brun, vivant, vibrant. Le seul bruit que l'on entendait était le bourdonnement des insectes occupés à butiner.

Bandit tira le revolver de son étui et le pointa au ciel. La détonation éclata à nos tympans. Et l'essaim s'éparpilla, laissant d'un seul coup apparaître ce que j'avais pressenti et redouté : un corps en état de putréfaction.

Un cadavre humain.

Mes entrailles se contractèrent, un spasme me secoua en même temps qu'un goût de bile m'emplissait la bouche. Je me mis à remuer mécaniquement la tête comme pour chasser ou refuser cette vision. Mais le mort, bien entendu, ne bougea pas.

Il pendait au bout de sa corde. Il semblait nous fixer de ses orbites creuses, et ses lèvres saccagées formaient comme un sourire, un affreux sourire qu'il nous aurait adressé de l'au-delà.

— Salut à toi, vieille crapule d'Almodovar ! lança Bandit d'une voix sonore. Content de te revoir. T'as pas changé, tu sais : toujours la grimace au coin de la gueule ! Va pas me dire que c'est le remords qui te ronge, je le croirais pas !

Tout en parlant, Bandit se détacha du groupe. Sa monture pénétra sous le couvert de l'arbre. Il y avait là, pendouillant telles de lamentables guirlandes oubliées longtemps après la fête, une bonne vingtaine de corps décomposés. La plupart ne présentaient plus grand-chose d'humain dans leur aspect. Simples carcasses, squelettes, des restes où s'accrochaient encore parfois, sous les oripeaux, de rares lambeaux de chair desséchée. Le bec des oiseaux, les mandibules des insectes avaient eu raison d'eux. Sans compter le temps. Disséminés sur le sol, on apercevait tantôt un os poli à force d'avoir été rogné, tantôt le cuir d'une botte ou un morceau d'étoffe déchiré. Vestiges.

Il me vint alors à l'esprit que toute la magnificence de la nature alentour ne tenait peut-être qu'à cela. Cette terre, cet arbre, cette herbe tendre, ces fleurs multicolores s'étaient nourris de sang et gorgés de larmes – tirant leur prodigieuse vitalité de la substance des morts !

Cette idée me fit frissonner.

Cependant, Bandit poursuivait lentement sa macabre tournée, frôlant les charognes suspendues et adressant à chacune d'elles salutations et invectives :

— Comme on se retrouve, Rolo Diaz, vieux renard des sables ! Où c'est que t'as planqué tes as, maintenant que t'as plus de manches, hein ?... Et toi, Gonzales Ledesma, tu ne dis plus bonjour ? T'as avalé ta langue de vipère ?... Oh, oh ! Mais regardez qui est là : c'est cette grosse barrique de Paco Ignacio ! On dirait bien que t'as maigri, mon cochon. T'aurais pas perdu quelques os, des fois ?... Et toi, doña Isadora, ma belle petite faisane, c'est ta moustache que t'as perdue, pas vrai ?... Ah ! Et voici ce cher Gabrielo Garcia Fuentes ! L'ange Gabriel, le roucouleur, le rossignol, le rétameur de veuves ! Elle te l'avait pas assez répété, ta pauvre mère, que t'étais qu'un gibier de potence ?

Malgré son ton caustique, le but de Bandit n'était certainement pas de nous faire rire. Changeant soudain de registre, il fronça les sourcils et fit mine de chercher parmi les branches quelque chose ou quelqu'un.

— Mais, mais, mais... mais c'est qu'il en manque un, ma parole !

Il ramena sa jument vers la troupe et nous fit face.

— Ça ne va pas, dit-il. Ça ne va pas du tout. Le compte n'y est pas... Je pensais trouver ici la plus belle brochette d'enfants de salaud que cette Terre ait portée, mais je m'aperçois qu'il en manque un ! Qu'est-ce que ça veut dire ?... Et celui qui manque à l'appel est le pire d'entre tous ! Le plus lâche, le plus infâme, le plus pourri ! Allons, allons, où te caches-tu, prince des bâtards ? Seigneur des raclures, montre-toi ! Fais-toi connaître, qu'on puisse admirer la laideur de ta face gangrenée !

Les hommes échangèrent de brefs coups d'œil. La colère du chef montait, et la tension avec. Derrière lui, l'essaim de guêpes se reformait autour de l'abominable fruit blet. Les insectes retournaient à leur festin.

— Nous y voilà... souffla la baronne.

Bandit leva une main. Je vis son petit doigt sectionné. Je vis sa chevalière en or accrocher un rai de soleil.

— L'autre jour, dit-il, j'ai perdu quatre de mes frères. Quatre de mes frères sont morts. Qui les a tués ? Non, ce ne sont pas les balles des soldats. Non. La mort est venue de l'intérieur. Elle était déjà là, sur place, elle leur souriait de toutes ses dents et dès qu'ils ont eu le dos tourné, elle leur a planté ses dents dans la chair et elle a craché son venin ! Et s'ils ne l'avaient pas reconnue, c'est simplement parce que la garce s'était déguisée. Elle avait mis le masque d'un de leurs compagnons, d'un autre de leurs frères... Quel masque ? Voilà ce que je veux qu'on me dise. À qui est-ce qu'elle ressemblait ?... À toi, Enrique ? À toi, Virgile ? Ou peut-être à toi, Rosa la rose ?... Lequel d'entre vous lui a prêté son visage ? Lequel dissimule encore sa gueule immonde ?... Parce que je sais, je sais que la traîtresse est toujours là ! Je vous regarde et je sais qu'elle se cache toujours parmi vous ! Et je n'aime pas ça. Oh ! que non, je n'aime pas ça ! Parce que ce n'est pas sa place. Sa véritable place est de ce côté-ci, sous cet arbre, au milieu de toute cette assemblée de fruits pourris qui poussent sous ses branches !

Bandit se tut. L'air vibrait du tonnerre de sa voix. La baronne me lança un regard qui signifiait : « Tu vois, qu'est-ce que je t'avais dit ? » Son intuition s'avérait juste. Bandit était parvenu à la même conclusion qu'elle : il y avait un traître au sein de la troupe.

— Es-tu certain de ce que tu avances, Bandit ? demanda Félicia la danseuse.

Le chef la toisa.

— J'en mettrais mon petit doigt à couper, répondit-il sans l'ombre d'un sourire.

— Ce fils de chienne doit payer ! lança alors quelqu'un. Mort au traître !

D'autres voix s'élevèrent, reprenant l'expression en chœur. L'agitation dura un court instant.

— Pourquoi croyez-vous que nous sommes ici ? intervint Bandit. L'heure des comptes a sonné. Et je vous donne ma parole que cette vermine aura ce qu'elle mérite… Tu m'as bien compris ? enchaîna-t-il en haussant soudain le ton. Où que tu sois, qui que tu sois, je te jure que je te trouverai ! Je te jure que je ne repartirai pas d'ici avant de voir ta carcasse se balancer au bout d'une corde !

« Et maintenant, je vais te laisser une dernière chance, non pas de sauver ta peau, mais de sauver la face. C'est tout ce que tu peux encore sauver. Tu vas mourir, enfonce-toi bien ça dans le crâne, mais tu as encore le choix : mourir en homme, ou mourir en larve ! Un peu de courage, pour finir. Viens ! Approche !… Je te donne une minute, t'entends ça ? Soixante secondes, pas plus, pour jeter ton masque à terre et me montrer ton vrai visage. Car si c'est moi qui dois te l'arracher, ton masque, je te jure que ça fera beaucoup plus mal !… Une minute ! rugit encore une fois Bandit.

Puis ses lèvres se scellèrent. Il nous scruta l'un après l'autre. J'avais beau avoir la conscience tranquille, je sentis ma gorge se nouer quand ses yeux se posèrent sur moi.

La minute fatidique passa sans que nul ne se fût dénoncé. Bandit hocha doucement la tête. Sa bouche se fendit d'un pli amer. Sans autre commentaire, il fit volte-face et retourna sous l'ombre de l'arbre. Là, il saisit son lasso, le lança par-dessus une branche, puis confectionna un nœud coulant à l'extrémité, qu'il laissa pendre dans le vide, à deux mètres du sol. La potence était prête.

Bandit revint vers nous. Nous sonda à nouveau, tour à tour, un long moment.

— Cette corde est pour toi, reprit-il. C'est la tienne. À partir de cet instant, tu l'auras chaque jour devant les yeux. Chaque heure. Chaque seconde. Et quand tu fermeras les yeux, tu la verras encore et toujours. Chaque nuit tu la retrouveras dans tes cauchemars. Aucun répit. Elle t'attend. Elle te tient. Tu ne le sais peut-être pas, mais elle est déjà passée autour de ton cou. Et je te garantis qu'elle ne va pas tarder à serrer. Serrer, serrer, serrer… Tellement fort que tu ne pourras plus rien avaler. Tellement fort qu'il n'y aura que la mort pour t'en délivrer !

Bandit cracha par terre. Sa jument continuait de mâchonner de jeunes pousses d'un air morne, indifférent.

Et je me dis qu'en fin de compte ces lieux enchanteurs ne seraient sûrement pas un paradis pour tous.

15

Les rochers sont des pages vierges

Dieu sait si, pourtant, nous aurions pu couler ici des jours paisibles. Rien de ce qui est essentiel ne manquait. Il y avait de l'eau fraîche dans les ruisseaux, du gibier en abondance et de succulentes baies sauvages qui fondaient sous la langue. C'est là que j'ai appris à dénicher les œufs de cailles et de dindons ocellés. C'est là aussi que j'ai goûté pour la première fois aux sauterelles grillées. Un régal. Après le sol aride du désert, il faisait bon s'étendre le soir sur un lit d'herbe et sentir monter en même temps que la lune le parfum des fleurs et le chant des guêpiers.

Oui, il y avait de quoi satisfaire nos appétits, combler nos sens, mais tous ces dons que la nature nous prodiguait ne pouvaient nous faire oublier la principale raison de notre présence en ce lieu. Le châtiment annoncé. La sentence à exécuter.

La corde au bout de la branche.

Bandit avait raison. Il avait pris soin de faire installer le bivouac à moins d'une centaine de mètres de l'Arbre aux Pendus. Nuit et jour sans relâche le géant se dressait devant nos yeux, immuable, souverain, et son ombre funeste s'étalait au-dessus de nos fronts, et ses racines insidieusement s'immisçaient jusque dans nos consciences.

L'azur avait beau se parer de son bleu le plus pur, personne n'était dupe : un orage se préparait. Il était là, quelque part, tout proche. Il grondait. Il menaçait. Nombreux étaient ceux qui avaient hâte de le voir crever.

Mais l'attente allait durer au total près de quarante jours – et je pense en avoir appris davantage sur la nature humaine durant ce laps de temps que pendant tout le restant de mon existence.

Passé les trois ou quatre premières journées, durant lesquelles la troupe s'abandonna au repos dans une relative quiétude, les choses ne tardèrent pas à s'envenimer. Ces hommes n'étaient pas d'un naturel contemplatif, il leur fallait du mouvement, de l'action, du bruit. Or, après avoir tiré quelques oiseaux, posé quelques collets, que leur restait-il à faire ? Les heures s'étiraient, longues et creuses, et les jeux de cartes ou de dés ne suffisaient pas à les remplir. Leur humeur s'en ressentait, leur sang commençait à bouillir.

Au bout d'une semaine à peine, on passa des chamailleries aux querelles. Les réserves de mezcal diminuaient à vue d'œil. L'alcool aidant, le ton montait. Le soir, autour du feu, des discussions naissaient, qui dégénéraient rapidement en disputes. Les hommes se titillaient, se cherchaient, pour un oui ou pour un non les injures fusaient. Et les fameux bras de fer étaient autant de défis qui n'avaient plus grand-chose de fraternel.

C'est que l'atmosphère se faisait de plus en plus oppressante. La méfiance, la suspicion avaient gagné le camp et y régnaient. Saleté de poison. Chacun se mit à surveiller son voisin du coin de l'œil. Chacun sur ses gardes. On évitait de tourner le dos. Les doigts traînaient sur les manches des couteaux, sur les crosses des fusils, avec une nonchalance feinte. Et bientôt un mot, un seul, affleura toutes les lèvres – puis fut soudain lâché comme la pire des insultes : « Traître ! »

Quand le mezcal fut épuisé, on s'attaqua au whisky.

Au bout de deux semaines eut lieu le pre-mier véritable affrontement. Un dénommé Alonso Ibanez, jeune recrue de la bande, en fit les frais. Virgile lui fracassa sa guitare sur le crâne. Si personne n'était intervenu, probablement l'aurait-il achevé en l'étranglant avec les cordes. Virgile ne comptait pourtant pas parmi les plus violents, en temps normal. Plus tard, il rafistola son instrument tant bien que mal, mais jamais plus la guitare ne sonna comme avant. Les airs qu'il en tirait avaient quelque chose de discordant.

À partir de là, des bagarres éclatèrent un soir sur deux. « Traître » par-ci, « traître » par-là, les hommes faisaient feu de tout bois pour se chauffer mutuellement, s'attiser, s'enflammer, pour ensuite s'éteindre à grand renfort de poings et de pieds. D'anciennes rancœurs longtemps étouffées resurgirent, explosèrent en gerbes de cris et en grêles de coups. Il y eut des blessés. Ce fut un miracle qu'on ne déplorât aucun mort.

Quand le whisky vint à manquer, on se jeta sur les tonneaux de vin.

Au cours de la troisième semaine, Octavio Nunez fut surpris en train de seller son cheval en catimini au beau milieu de la nuit. Tentative de fuite ? Flagrant délit ? Pour beaucoup, les soupçons se changèrent illico en certitudes et les doutes en évidences. « Traître ! Traître ! Traître ! Qu'on lui fasse la peau !... » Octavio *el rojo* (surnommé ainsi à cause de sa chevelure d'un roux flamboyant) jura ses grands dieux.

Quelques-uns lui apportèrent leur soutien. La troupe se scinda alors en deux clans adverses, accusateurs et défenseurs. Le lynchage d'Octavio fut évité de justesse, mais pas la monstrueuse bagarre qui s'ensuivit. Une empoignade générale à inscrire en rouge dans les annales.

L'aube se leva sur un camp dévasté. Baigna de sa douce lumière un parterre de moribonds vautrés dans l'herbe la gueule ouverte, comme s'ils n'avaient même plus la force de brouter.

Misérable spectacle. Triste jusqu'à l'écœurement.

On ne se releva pas, comme à l'ordinaire, avec une poignée de main ou une tape sur l'épaule. Chacun resta recroquevillé au fond de sa tranchée, le cœur rempli de ressentiment, de colère, de fiel, autant de maux qui nous rongeaient de l'intérieur, qui se propageaient comme la gangrène. Personne ne reconnaissait plus personne. Qui es-tu, toi, faux frère, félon en puissance ? Car, si la guerre était effectivement déclarée, l'ennemi n'en demeurait pas moins invisible – et les hommes démunis face à lui.

Qui combattre ?

Et Bandit laissait faire. Bien sûr. C'était son jeu. Bandit avait annoncé la couleur. Tous autant que nous étions, il nous avait placés sur une poudrière.

Il avait allumé la mèche.

Il attendait.

Je m'aperçois que je n'ai usé jusqu'ici, pour brosser ce tableau, que des couleurs les plus sombres de ma palette. Qu'y voit-on sinon une poignée de condamnés s'entre-déchirant dans leur geôle aux barreaux invisibles – à l'ombre de leur potence ? Cela n'est pas faux, mais cela n'est pas tout. Notre séjour près de l'Arbre aux Pendus ne fut pas qu'une pénible, une interminable attente émaillée de rixes plus ou moins sévères. Pas en ce qui me concerne, en tout cas. J'en conserve heureusement d'autres souvenirs, des moments de bonheur qui demeurent parmi les plus brillants, les plus intenses de ma longue vie. Et je ne dois pas passer sous silence ces quelques trouées lumineuses dans notre ciel de plomb, dont la chaleur aujourd'hui encore irradie mes vieux os.

On s'en doute, la plupart de ces instants sublimes, c'est à Paloma que je les dois.

Paloma n'échappait pas au désœuvrement. Les chevaux comme les hommes étaient tenus à un repos forcé, et les soins à leur prodiguer s'en trouvaient par conséquent réduits au strict minimum. Même pas besoin de les nourrir : les bêtes n'avaient qu'à baisser la tête et se servir. Paloma n'avait pas grand-chose à faire.

Nous passions de longues heures ensemble. Petites escapades à deux aux alentours du camp. Nous explorions le territoire et ses richesses. Je suppose qu'on nous accordait ce privilège parce que Paloma était la seule sur laquelle nul soupçon ne pesait, et que, dans l'esprit de tous, elle me tenait lieu de chaperon. Toujours est-il que nous profitions pleinement de cette liberté.

J'aimais marcher à ses côtés. Courir, parfois. J'aimais la voir cueillir des mûres et lécher ses doigts barbouillés de jus grenat. Un jeu que nous avions inventé occupait également une bonne partie de notre temps ; on appelait ça « jouer aux papillons ». Cela consistait à rester couché dans l'herbe, sur le dos, le plus silencieux et immobile possible, et compter les papillons qui venaient se poser sur chacun d'entre nous. Celui qui en avait attiré le plus grand nombre avait gagné. Il fallait retenir son souffle. Résister aux chatouillis de leurs ailes, résister aux rires et aux éternuements. Se faire statue. Paloma l'emportait souvent. Sa peau était plus sucrée que la mienne.

J'aimais m'asseoir avec elle sur le bord d'un ruisseau et laisser tremper mes pieds dans la fraîcheur de l'eau.

Mais notre emploi du temps se modifia sensiblement à partir du milieu de la deuxième semaine. Un matin, Paloma vint me trouver d'un pas décidé. Elle me tendit brusquement un objet qu'elle tenait à la main.

— Apprends-moi ! fit-elle.

Une injonction plus qu'une simple requête ou un souhait.

L'objet qu'elle me présentait était un livre. Je le considérai, incrédule, sans comprendre encore ce que Paloma attendait de moi. Ce qu'elle exigeait. Au bout d'un moment, elle finit par préciser ses intentions :

— Je veux savoir lire, Mosquito. Et écrire aussi. Comme toi. Je veux que tu m'apprennes.

Je restai sans voix quelques secondes.

— T'apprendre à lire ? Mais…

— Tu ne m'en crois pas capable, c'est ça ?

— Non… Enfin si, je veux dire. Bien sûr que si ! Mais…

— Tu penses que je suis trop bête pour ce genre de chose ?

— Pas du tout ! Absolument pas, ce n'est pas la question ! Mais…

— Alors ?

— Alors ?

— C'est quoi, la question ? Pourquoi refuses-tu ?

— Je n'ai jamais dit que je refusais !

— Alors, tu acceptes ?

Un sourira étira soudain ses lèvres. Sourire plein d'une candeur que démentait l'étincelle de malice au fond de sa pupille. Rusée Paloma.

— Merci ! lança-t-elle.

Et sans plus me laisser le temps d'une objection, elle me fourra le livre entre les mains.

C'était un ouvrage de petit format, à la couverture cartonnée et défraîchie.

— C'est tout ce que j'ai trouvé, dit Paloma.

Effectivement, je n'avais jamais aperçu le moindre livre dans les bagages de la troupe. Je ne lui demandai pas où elle l'avait déniché – au cours de quelle attaque, de quel pillage ? Une vilaine traînée d'un rouge sombre maculait le dos de l'ouvrage, je préférais en ignorer l'origine.

Je l'ouvris. Le titre complet occupait toute la première page :

PETIT MANUEL D'ÉCONOMIE DOMESTIQUE

OU

Recueil de toutes sortes de recettes et de procédés,
les meilleurs et les plus utiles, qui sont
d'un usage journalier dans tous les ménages

Si je m'en souviens avec autant de précision, c'est que le livre est toujours là, sous mes yeux. À côté d'un curieux petit bracelet composé de dents de rongeur. Ce sont les plus précieuses reliques que je possède.

Quelques feuillets avaient été déchirés ou arrachés mais l'ensemble demeurait parfaitement lisible. Je parcourus la table des matières à la fin du manuel. Chaque chapitre était la promesse d'une recette simple, pratique, efficace, pour résoudre tel ou tel problème domestique. Des choses aussi utiles et variées que : « *Manière de colorer le beurre en jaune* », « *Moyen de conserver les asperges pendant l'hiver* », « *Composition d'un beau cirage meilleur et plus brillant que le cirage anglais* », « *Teinture pour conserver les cordes, les toiles et les filets* », sans parler des innombrables procédés pour éloigner les fourmis, puces, punaises, charançons, rats, fouines, belettes et autres animaux malfaisants…

Je refermai l'ouvrage et laissai échapper un soupir.

— Tu sais, dis-je, je ne suis pas du tout certain de pouvoir faire ça. T'enseigner la lecture, l'écriture, c'est…

— C'est la seule façon de nous mettre à égalité, me coupa Paloma. Pour voir le même horizon, il faut que les yeux soient à la même hauteur. Tu dois m'aider à grimper. J'ai confiance. Tu peux le faire.

Elle ne souriait plus. Son visage, sa voix étaient graves. Je crois bien que c'était la première fois qu'elle me demandait quelque chose, et sans doute cela lui coûtait-il. Pour ça, elle avait dû étouffer son orgueil, le dépasser. Mais son besoin de s'instruire était réel et profond. Ce livre qu'elle avait placé entre mes mains, c'était beaucoup d'espoir, une formidable attente de sa part, en même temps qu'un immense honneur qu'elle me faisait. Je lui devais au moins d'essayer de m'en montrer digne.

— Bien… soufflai-je. Quand est-ce qu'on commence ?

L'après-midi même, Paloma ânonnait ses premières syllabes à l'ombre d'un avocatier.

Dès lors, nous consacrâmes plusieurs heures par jour à ces leçons particulières. Paloma ne s'en lassait pas. Je fis appel à ma mémoire afin de lui donner les bases de cet apprentissage telles que mon cher et regretté M. Lärsen me les avait lui-même enseignées. Je n'eus pas grand-chose d'autre à faire. Il faut dire que mon élève était douée. Sa volonté et sa discipline de fer, ajoutées à ses capacités proprement intellectuelles, lui permirent d'obtenir des résultats époustouflants. En un rien de temps elle sut déchiffrer n'importe quel mot, puis une phrase, puis un paragraphe entier. Le manuel ne quittait pratiquement plus ses mains. Même seule, dans son coin, je la voyais encore le nez dans l'ouvrage, s'abîmant les yeux aux derniers feux du soleil couchant en s'efforçant d'éclaircir toujours davantage le mystère des signes imprimés. Ses lèvres remuaient, pareilles à celles d'une croyante récitant avec ferveur sa prière du soir. Mais quelle étrange psalmodie s'en échappait !... « *Si l'on veut faire des cha... des chandelles qui du... qui durent deux heures de plus que les chandelles or... di... naires, on fait bou... boui... bouillir 4 kilogrammes de gr... graisse de bœuf avec 2 kilogrammes de graisse de mouton...* »

Bientôt, la fabrication des chandelles n'aurait plus de secret pour elle. Ni celle des beignets de pommes de terre ou du ratafia de noix.

— Savez-vous, cher maître, me dit-elle un jour, qu'il y a un moyen très simple de garantir les étoffes des ravages des teignes ? (Elle avait pris cette manie de me donner du « maître » pour me taquiner.) Cela consiste à mettre entre les plis des feuilles de tabac ou des copeaux de cèdre ou de cyprès.

Elle lut ces quelques mots d'un trait, sans buter, sans hésiter. Elle releva la tête, guettant ma réaction.

— C'est fantastique… soufflai-je.

J'étais fier d'elle.

Une fois acquis les rudiments de la lecture, nous abordâmes l'écriture. Là encore, Paloma fit montre d'exceptionnelles facultés et la rapidité de ses progrès me stupéfia.

Nous n'avions à notre disposition ni papier ni plume d'aucune sorte. Et, bien que le fameux manuel indiquât quantité de recettes pour la composition de l'encre, les ingrédients nécessaires nous manquaient. Mais nul obstacle n'aurait pu empêcher Paloma d'étancher sa soif d'apprendre.

Elle eut donc l'ingénieuse idée de se servir de charbon de bois en guise de mine. Nous en prélevions quelques morceaux chaque matin, parmi les cendres du foyer, que nous mettions de côté pour la future leçon. Pas de feuille ? Pas de cahier ? Qu'à cela ne tienne ! Tels les premiers hommes sur Terre, nous tracerions nos signes à même la roche !

On trouvait çà et là d'énormes blocs de pierre, beiges, ocre, ou proprement blanchis aux rayons du soleil. Ils firent office de tableau noir.

Écrire… Écrire à tout prix.

Je me rappelle, ma belle, quel bonheur c'était que de tenir ta main dans la mienne, de te guider, de t'accompagner dans le lent cheminement des rondes, des boucles et des déliés. Je me rappelle ton émerveillement lorsque tu vis pour la première fois ton propre prénom inscrit sur la surface vierge. Tu ne cessais de le relire, de le répéter à mi-voix, « Paloma… Paloma… Paloma… », comme si tu le découvrais ou comme s'il prenait enfin tout son sens, toute sa dimension. Ce fut une seconde naissance pour toi. J'eus la chance et le privilège d'y assister. Je me rappelle que tu te jetas spontanément à mon cou dans cet instant de joie et d'enthousiasme. Je faillis en tomber à la renverse. Je sens encore l'étreinte de tes bras autour de mes épaules, la chaleur de ton corps contre moi. Et ta voix qui chuchotait : « Paloma… Paloma… Paloma… »

Au fur et à mesure, tous les rochers alentour se couvrirent de ta signature. Ta main devint rapidement plus habile et plus sûre. Et puis il y eut un jour où tu me montras un pan de roche sur lequel tu avais écrit, seule, sans aide, nos deux prénoms accolés. Ton prénom et le mien. En lettres majuscules.

S'il fallait une trace de notre passage en ce temps et en ces lieux ; s'il fallait une preuve qu'un jour, un jour au moins, nous fûmes unis, inséparables, toi et moi : eh bien, mesdames et messieurs, la voici, cette preuve, inscrite là devant vos yeux !

Oui… Je pensais alors, dans ma grande naïveté, que le message était indélébile, et que tous les hommes de tous les siècles à venir en auraient connaissance.

J'étais loin d'imaginer qu'une simple averse suffirait à l'effacer.

16

Les mots sont des munitions

À deux ou trois reprises, j'avais remarqué Bandit en train de nous observer au cours de ces leçons. Je tournais les yeux, par hasard, et apercevais sa silhouette, debout, quelque part dans un coin. Pas vraiment caché mais d'une grande discrétion. Il ne bougeait pas, ne se manifestait pas. Lorsque je me tournais de nouveau, un peu plus tard, il n'était plus là.

Je crus d'abord qu'il nous surveillait – moi tout particulièrement. Peut-être avait-il des doutes sur mes intentions et me rappelait-il ainsi, par ses brèves apparitions, qu'il me tenait à l'œil.

Puis je le surpris un jour planté devant un de ces rochers que Paloma avait marqués au charbon. Elle et moi avions quitté l'endroit depuis un moment ; Bandit se croyait seul. Je me tapis et l'épiai à mon tour. Il demeura une longue minute sans bouger face à l'inscription, comme s'il tentait de déchiffrer quelque hiéroglyphe antique ou quelque mystérieuse formule magique. Puis il eut un geste inattendu : il tendit la main et effleura la roche du bout des doigts. Après quoi, je le vis hocher plusieurs fois la tête, doucement, imperceptiblement. Impossible de savoir si c'était une façon de manifester son admiration ou au contraire son mépris.

Jusque-là, Bandit ne s'était jamais exprimé sur ce sujet. Approuvait-il la nouvelle lubie de Paloma ? Ou pas ? S'en moquait-il éperdument ? Je l'ignorais.

Ce n'est qu'au début de la troisième semaine que j'obtins une réponse à ces questions : lorsque Bandit se pointa au beau milieu de notre leçon avec une Winchester à la main.

Paloma venait d'écrire le mot « nuit » sur la pierre. Trois fois d'affilée. Elle entendit les pas comme moi. Nous fîmes volte-face en même temps. Bandit s'arrêta à trois mètres de distance. Durant une bonne poignée de secondes chacun resta muet et figé. Paloma scrutait Bandit, le front soucieux. Un minuscule papillon aux ailes immaculées voletait autour des jambes du chef. Pour ma part, je ne quittais pas le fusil des yeux.

Enfin, Bandit désigna le rocher d'un bref mouvement du menton.

— Qu'est-ce que ça dit ? demanda-t-il.

Il s'adressait à Paloma.

— « Nuit », répondit-elle.

— Nuit… répéta Bandit.

Trois fois d'affilée.

— Alors, c'est comme ça, la nuit… ajouta-t-il d'un ton pensif.

Le papillon prit de la hauteur, musarda un instant autour de son épaule, puis s'en retourna sans hâte vers de plus alléchants nectars.

— Qui a eu cette idée ? reprit Bandit. C'est toi, Paloma ?

Elle fit oui de la tête.

Il y eut un nouveau silence. Tendu. L'attente du verdict.

— C'est bien, laissa tomber Bandit. C'est une bonne chose de connaître les mots. Ceux d'en haut les connaissent.

Ils dictent les lois, ils les impriment sur du papier. À leur guise. Il faut pouvoir se servir des mêmes armes que nos ennemis. Dans les temps à venir, ça nous sera utile. Des munitions supplémentaires : gardons-les en réserve.

Le fusil pendait toujours au bout de son bras. Je me sentis un peu soulagé. Je songeai aussi que Bandit ramenait toute chose ou presque à une lutte, un combat, une guerre. Aujourd'hui je peux le comprendre. Cette façon de penser était le fruit de sa propre expérience. Aujourd'hui je sais qu'il y a des gens pour qui chaque journée vécue sur cette Terre est une victoire âprement disputée.

Bandit se tourna vers moi.

— Comment elle se débrouille ?

— Bien, affirmai-je. Très bien. Elle est douée.

Il eut un signe d'approbation. Ses yeux revinrent sur Paloma et je crus y percevoir un éclat fugace mais intense.

— Elle a de qui tenir… souffla-t-il.

Paloma ne releva pas. Elle semblait rester sur ses gardes, parée à toute éventualité.

Puis tout à coup, Bandit s'exclama :

— Donnant donnant !

Il redressa le canon de la Winchester et lança le fusil dans ma direction. Je n'eus qu'une fraction de seconde pour amortir le choc de l'arme contre ma poitrine.

— Pour l'instant, les mots ne suffisent pas, enchaîna Bandit. Je veux qu'il sache aussi se servir de ça. Paloma, c'est à toi de lui apprendre !

Là-dessus, il tourna les talons et repartit vers le camp.

Je n'en revenais pas. Cet homme, celui que je considérais alors comme mon bourreau, venait de me fournir une arme, une vraie !

Quand Bandit eut disparu, je me mis à examiner le fusil comme si je n'en avais encore jamais vu. Je le tournai et retournai dans tous les sens, le soupesai, l'épaulai. Je me sentais à la fois très impressionné et terriblement excité. Apprenti sorcier à qui le maître confie sa baguette durant son absence. Les pouvoirs, la puissance étaient entre mes mains – et la prairie se changeait soudain en un champ infini de possibilités.

Puis je croisai le regard de Paloma. Il était sombre. Froid. Sans indulgence aucune. Ma réaction n'avait pas du tout l'air de lui plaire. Ni la mission que Bandit lui avait assignée.

Je tentai malgré tout de l'amadouer en lui décochant un sourire.

— Donnant donnant !... lançai-je d'un ton léger.

Si léger qu'il se dilua dans l'air avant d'avoir atteint sa cible.

— Je croyais que nous n'étions qu'une bande de brutes. Des assassins. Des sauvages tout juste bons à se battre, tout juste capables de tuer ou d'être tués. Je croyais que tu détestais ça : la violence, les armes, le sang. Mais peut-être que j'ai mal entendu. Ce n'est pas ce que tu disais ?

— Et que m'as-tu répondu, Paloma ?

— Je croyais qu'il y avait d'autres solutions. Je croyais que tu voulais la paix. La justice. Le partage... Le partage, hein, c'était bien ça ?

— Oui. Je l'ai dit, c'est vrai. Et j'y crois, et je l'espère toujours ! Mais qu'est-ce que vous m'avez répété, tous autant que vous êtes ? Toi et Bandit et la baronne, tous le même son de cloche : il n'y a que la voix des fusils pour se faire entendre !

— Je croyais... Je croyais que tu étais différent, Mosquito.

La nuit était tombée. La nuit que Paloma pouvait désormais inscrire sur n'importe quel rocher. Sa dernière phrase se fondit en un murmure et le ton de sa voix me fit mal. Toute l'amertume, toute la déception que j'y décelais.

Nous étions assis dans l'herbe. La Winchester couchée en travers de mes jambes. Le grand feu qui brûlait un peu plus loin englobait parfois dans la même flamme le froid métal de l'arme et le visage fermé de Paloma.

Au bout d'un instant, celle-ci repartit à l'assaut.

— Ce n'est pas un jeu, dit-elle.

— Je sais.

— Non, tu ne sais pas !

Son regard se planta dans le mien. Les mots sortirent de sa gorge en un grondement sourd, menaçant.

— Tu veux réellement apprendre à tuer, Mosquito ?

On aurait dit le diable me proposant un pacte qui nous liait à jamais. Damnée, mon âme. Éternellement. Je réprimai un frisson.

— Ce n'est pas parce que je saurai me servir d'un fusil que je m'en servirai !

— On n'a jamais vu un puma ne pas se servir de ses crocs pour se battre.

— Bon sang ! Il s'agit seulement d'être capable de me défendre ! Pourquoi est-ce que je n'aurais pas le droit d'apprendre, moi aussi ?

Les pupilles de Paloma flamboyaient dans la pénombre.

— À chacun son rôle, dit-elle. Le tien, c'est de faire jaillir de l'eau dans le désert. D'y faire pousser des fleurs et des plantes. De semer. Partout où il n'y a rien. Je le sais, c'est comme ça. Ton rôle, c'est de donner la vie. Pas la mort !

— Et ton rôle à toi, alors, qu'est-ce que c'est ?

Elle ne répondit pas. Elle replia les genoux contre sa poitrine, posa dessus son menton et s'enfonça dans un mutisme réprobateur. Sa main serrait le petit manuel. Fermé.

Bien sûr, je n'étais pas insensible à ses arguments. Plus que Paloma, c'était d'abord ma propre conscience que je m'efforçais de convaincre. Une fois encore, comme pour la montre dérobée à la baronne, je ressentais le malaise de celui qui a trahi. Mais cette fois-ci, je m'étais trahi moi-même. J'avais trahi mes convictions. Et Paloma ne se gênait pas pour me le renvoyer en pleine face – comme mon reflet dans le miroir de la vérité.

Mais j'avais tellement envie de ce fusil. Oui. Je l'avoue. À présent qu'on me l'avait donné, il eût fallu me briser les doigts pour me le reprendre.

Lâchement, pour ne plus entendre ni la voix de Paloma ni celle de ma conscience, je me retranchais derrière la parole incontestable du chef. Car c'était bien lui qui avait exigé que j'apprenne à tirer, non ? Alors, soit ! J'appliquerais la consigne !

Mais que se passerait-il si, par la suite, Bandit m'ordonnait de tuer ?

Mauvaise question.

Là-bas près du feu des aboiements montaient. Prémices d'une énième dispute. Les loups entre eux.

Je reposai mes yeux sur le fusil. Je posai ma paume à plat sur la crosse. Elle était tiède et lisse, douce au toucher.

Tu avais raison, Paloma : les hommes prennent vite le goût du sang.

Après un long silence, je tentai de changer de sujet :

— Pourquoi Bandit a-t-il dit que tu avais de qui tenir, tout à l'heure ? Tu sais, quand nous parlions de tes dons pour la lecture et l'écriture. Qu'est-ce qu'il a voulu dire ?

Paloma redressa vivement la tête. Puis se redressa tout entière, comme cinglée par un coup de fouet.

— Tu n'as qu'à le lui demander ! cracha-t-elle d'un ton farouche. Si ça t'intéresse vraiment.

Et elle fila en me laissant planté là.

Inutile d'essayer de la retenir. Elle était déçue, fâchée. J'espérais simplement que la nuit apaiserait ses sentiments et que le lendemain se présenterait sous de meilleurs auspices.

Il n'empêche qu'en rappelant la réflexion de Bandit je semblais avoir mis le doigt sur un point très sensible. D'où venait Paloma ? De qui tenait-elle ?... Elle n'avait jamais fait la moindre allusion à ses parents ni à une quelconque famille. Pourtant, tout ange qu'elle était, elle n'avait pas dû tomber directement du ciel dans le Ventre du Diable !

Au bout d'un moment, je me levai à mon tour, bien décidé à tenter d'éclaircir cette part d'ombre. Faisant fi des conseils de Paloma, ce ne fut pas vers Bandit que je me dirigeai, mais vers une source d'information qui me paraissait plus accessible : cette chère baronne Ernesta von Singer.

Je la trouvai assise près du chariot à tirer sur un restant de cigarillo. Sox le chien couché à ses pieds. Tous deux levèrent sur moi le même regard, que je jugeai plutôt sarcastique. La baronne lorgna la Winchester coincée sous mon bras.

— Toi aussi, tu t'y mets ? persifla-t-elle. Petit homme a les dents qui poussent...

— C'est Bandit qui me l'a donnée. Il veut que j'apprenne à m'en servir.

La baronne fit la moue.

— Bandit doit avoir ses raisons.

— Je ne pensais pas que vous seriez contre cette idée. Il me semblait que…

— J'suis pas contre, me coupa-t-elle. C'est juste que t'as l'air d'un canard à trois pattes, avec ça !

Vexé, je posai la crosse du fusil à terre et raidis le buste. Cette satanée bonne femme voulait-elle que je lui dise de quoi elle avait l'air, elle ?

L'ogresse rigolait en sourdine. Elle souffla un jet de fumée gris et malodorant.

— Allez, fais pas cette tête, mon beau. Viens t'asseoir là… Cette pétoire, tu risques d'en avoir besoin plus tôt que prévu. Regarde-moi ça si c'est pas malheureux…

Elle désignait le centre du campement, à une vingtaine de mètres de nous. Le ton était encore monté entre les hommes. Quelques-uns se tenaient déjà en position : l'empoignade ne devait plus tarder.

— Plus bêtes que des bêtes ! Pas vrai, le chien ? fit la baronne en tapotant le crâne de Sox. (Puis elle secoua la tête et ajouta :) Ça va mal finir, tout ça. Un de ces quatre, on va en retrouver un étendu raide sur le plancher. Et celui-là se relèvera pas. C'est à un jeu dangereux que joue Bandit.

— Est-ce qu'il a le choix ? rétorquai-je. On ne peut pas continuer avec un traître parmi nous, vous le savez bien. Il faut le démasquer, à n'importe quel prix.

— À n'importe quel prix ? répéta la baronne en me lançant un drôle de regard. Tiens, tiens… C'est bien mon p'tit prince qui parle comme ça ? T'as vraiment changé ton fusil d'épaule, toi.

Je ne répondis pas.

— À propos de traître, insista l'ogresse, je t'ai pas dit la nouvelle ?

— Quelle nouvelle ?

— J'ai retrouvé ma montre !

— Ah bon ? feignis-je de m'étonner.

— Oui. Figure-toi qu'elle est réapparue, hop ! comme par magie. Exactement à sa place. Curieux, non ?

— Peut-être... Peut-être que vous aviez mal regardé, la première fois ?

La baronne secoua la tête.

— Non. J'ai retourné le coffre dans tous les sens : la montre n'y était plus, c'est sûr.

— Alors, c'est que le voleur aura éprouvé des remords. Il vous l'a rendue, tout simplement.

— Tu parles d'un voleur ! Moi, j'appelle ça un garnement. Un vaurien qu'aurait fait une bêtise plus grosse que lui et qu'aurait cherché à se rattraper... Ouais, y a qu'un gamin, un p'tit morveux pour faire un coup pareil. J'en mettrais ma main au feu. Et toi, Mosquito, qu'est-ce que t'en penses ?

J'en pensais que les gamins ne couraient pas les rues, par ici ! Pas dupe, l'ogresse... J'éludai la question.

— En tout cas, soufflai-je, vous voyez que les choses s'arrangent parfois bien.

Elle eut un mince sourire.

— Et c'est tant mieux, dit-elle. Sinon, l'aurait fallu que je démasque ce salopiot. « À n'importe quel prix »...

Elle lâcha un nouveau jet de fumée, dru, opaque. Puis laissa tomber le bout de cigare et l'écrasa sous son talon. J'espérai que le sujet était clos.

La baronne reporta son attention sur les hommes. À contre-jour devant les flammes, telles des ombres chinoises, deux silhouettes se poussaient et repoussaient mutuellement. Les autres jetaient de l'huile sur le feu par leurs jappements hargneux.

— J'ai une question à vous poser, baronne, repris-je au bout d'un moment.

— Encore ?

— Oui. C'est à propos de Paloma.

— Tiens donc ! M'en serais pas doutée. Et qu'est-ce que tu veux savoir ?

— Eh bien... Je ne l'ai jamais entendue parler de... de ses parents.

— C'est qu'elle a peut-être pas tellement envie d'en parler ! répliqua la baronne.

— Justement. Elle m'a dit de m'adresser à vous, mentis-je.

Une nouvelle fois, elle me passa au rayon de ses yeux clairs. Je soutins l'examen sans ciller.

— À moi ? Pourquoi à moi ?

— Je ne sais pas, fis-je en haussant innocemment les épaules.

La baronne soupira et garda un instant le silence. Puis elle dit :

— Je pourrai pas t'apprendre grand-chose.

— Ce sera toujours mieux que rien, insistai-je. Vous les avez connus, ses parents ?

Elle hocha la tête, le regard soudain vague.

— Sa mère, finit-elle par lâcher. J'ai connu la mère de Paloma. Un peu. Mais suffisamment pour me rendre compte que c'était pas n'importe qui ! Amalia, elle s'appelait.

— Amalia… répétai-je dans un murmure.

— Elle faisait déjà partie de la troupe quand j'ai débarqué. Bonté divine, elle avait tout pour elle, cette femme ! Une beauté à réveiller les morts, et de la jugeote à revendre. Ça oui ! Crois-moi que c'était loin d'être creux, là-dedans. Futée comme pas deux. Et un sacré caractère en prime. Ah ! j'te garantis que le bon Dieu s'en était donné à cœur joie, avec elle ! D'ailleurs, c'est pas compliqué : regarde la fille, et tu verras la mère. Si tu vois c'que je veux dire, Mosquito.

Je voyais très bien.

— Et puis instruite, avec ça, poursuivit la baronne. De l'éducation. Elle le faisait pas sentir mais on voyait quand même que c'était pas une petite paysanne, une va-nu-pieds comme la plupart d'entre nous. Je sais pas exactement d'où elle venait, elle en parlait pas, mais si tu veux mon avis, elle avait dû traîner ses robes de p'tite fille sur des parquets cirés. Y a des signes qui ne trompent pas. Des demoiselles de la haute, j'ai pu en observer quelques-unes : Amalia n'avait rien à leur envier.

— Alors, comment se fait-il qu'elle ait atterri ici ? m'étonnai-je. Au milieu de tous ces… ces…

— Ces « sauvages » ? lâcha la baronne. Ces « culs-terreux » ? Ces « barbares » ?… T'as raison, Mosquito : on peut se l'demander. Mais on peut pas répondre à sa place. Tout c'que je sais, c'est qu'on l'avait pas forcée, elle. Personne ne la retenait prisonnière. C'était pas non plus la faim qui l'avait poussée. C'était pas la misère… Alors quoi ? Qu'est-ce qui avait bien pu lui prendre de quitter sa vie de château pour venir bouffer de la poussière avec nous ?… Faut croire qu'elle nous aimait bien. Ou peut-être qu'elle pensait simplement qu'on avait raison de se battre. Que c'était une bonne cause, comme on dit. Une cause juste... Y a des gens comme ça, Mosquito. Pas beaucoup, mais y en a. Ça existe. Des qui naissent avec tous les atouts dans les mains, et qui sont capables de mourir pour les redistribuer. Pour que chacun en ait sa part. En général, on les traite de fous, ces gens-là. Et va savoir s'ils le sont pas pour de bon !

La baronne fit une pause, comme pour réfléchir elle-même à ce qu'elle venait de dire.

Autour du foyer la bagarre prenait corps. Les coups s'étaient mis à pleuvoir, et les grognements et les râles. Mais pour moi, curieusement, la scène ne semblait avoir aucune réalité. Les sons me parvenaient étouffés, comme s'ils éclataient dans la sphère d'un rêve ou sous une cloche de verre.

Sox le chien ne remuait pas d'un poil.

— En tout cas, reprit soudain la baronne, elle avait beau connaître son latin par cœur, ça l'a jamais empêchée d'aller se battre le couteau entre les dents ! Et valait mieux pas te trouver en travers de son chemin dans ces moments-là. Une farouche, l'Amalia ! Une passionnée... Je la revois encore, grosse de huit mois, le ventre plus gonflé qu'une baudruche, en train de s'expliquer à grands coups de crosse avec deux énergumènes ! J'ai cru qu'elle allait accoucher sur place.

— Et ensuite, que s'est-il passé ?

— Ensuite ?... Ensuite, la petite est née. Paloma. « La colombe. » Amalia a voulu l'appeler comme ça parce qu'elle disait que c'était le symbole de la pureté et de la paix... La pureté et la paix, Mosquito. Je sais pas où elle était allée chercher ça... Amalia est morte pas longtemps après la naissance de sa fille.

— Que lui est-il arrivé ?

— Ce qui doit nous arriver à tous, un jour ou l'autre : une balle dans la peau et c'est fini. Amalia était partie au ravitaillement avec un petit groupe. Ils étaient quatre ou cinq. En route, ils sont tombés sur un os. Un gros os... Le vieux Miguel est rentré seul au camp.

— Miguel ?

— Oui. Y a que lui qui a réussi à s'en tirer. Les autres n'ont pas eu cette chance. Le destin... conclut la baronne dans un soupir.

Nous demeurâmes silencieux un moment. Je me pris à songer à mes propres parents. À ma mère, dont les traits se confondirent, dans mon esprit troublé, avec ceux d'une inconnue nommée Amalia.

— Ce qui fait que Paloma n'a jamais connu sa maman, n'est-ce pas ?

— On peut dire ça, confirma la baronne. En tout cas, elle était bien trop jeune pour s'en souvenir.

— Et son père ? Vous ne m'avez pas parlé de son père.

À ces mots, je perçus une sorte de raidissement dans l'attitude de la baronne.

— Une question à la fois, p'tit prince ! De toute façon, j'le connais pas, le père. Je sais pas qui c'est. Amalia a jamais voulu le dire.

— Mais...

— Et maintenant, tu m'excuses, coupa-t-elle en se dressant d'un seul mouvement, je crois que j'ai besoin de me défouler un peu, moi aussi !

Là-dessus, elle retroussa ses manches, saisit par la queue la première poêle en fonte qui était à sa portée et, ainsi armée, se dirigea d'un bon pas vers l'échauffourée qui battait à présent son plein.

Je suivis des yeux sa silhouette de baleine se découpant devant les hautes flammes. Et je l'entendis bientôt rugir :

— À qui le tour, tas de bourricots pouilleux ? Qui c'est qu'a pas encore pris sa pâtée ?

Sox le chien leva alors vers moi son œil unique, au fond duquel, me sembla-t-il, un grand rire couvait.

17

Les chants des sirènes sont de délicieux poisons

Malgré ses réticences, Paloma se plia à la volonté de Bandit et m'enseigna le maniement du fusil. À la première balle que je tirai, la puissance du recul faillit me déboîter l'épaule. Je me retrouvai sur le derrière, grimaçant et honteux. Paloma s'était bien gardée de me prévenir. Elle ramassa la Winchester que j'avais lâchée et me la tendit à nouveau sans un autre mot que : « Recommence. »

Son regard en disait beaucoup plus long sur les chances de réussite qu'elle m'accordait.

Je serrai les dents et relevai le défi.

Dorénavant, la plus grosse partie de nos journées se passerait en leçons. Tantôt professeur, tantôt élève, nous échangions nos fonctions à tour de rôle. Je corrigeais son orthographe, elle corrigeait ma position ; je rectifiais un point de conjugaison, elle rectifiait ma ligne de mire. Je dois dire que j'appréciais particulièrement les moments où, plaquée tout contre mon dos, les bras autour de mes épaules, Paloma accompagnait et soutenait mon geste dans le souci de le parfaire. Rester concentré sur mon tir me demandait alors un effort considérable.

Je n'étais pas aussi doué qu'elle. Mes progrès furent plus lents, mais néanmoins constants. Mon plus grand succès fut d'abord de vaincre les réticences de Paloma. J'avais fait mon possible pour dédramatiser la chose, et, sur ce plan-là au moins, je pouvais me montrer satisfait. Une à une, ses barrières morales cédèrent et elle finit par se prendre au jeu, à tel point qu'elle mit bientôt autant d'ardeur à enseigner qu'à apprendre. N'oublions pas que le défi valait aussi pour elle, car souvent les bons résultats de l'élève nourrissent l'orgueil du maître.

Bref, lorsque mes balles commencèrent à se loger à moins de vingt centimètres de la cible, je vis Paloma applaudir. Et le jour où j'atteignis les dix centimètres d'écart, nous entamâmes de concert une petite danse de Sioux joyeuse et spontanée. Mais l'irruption de Bandit jeta brusquement un froid sur notre enthousiasme.

— T'es mort ! lâcha-t-il.

Nous ne l'avions pas entendu venir. Sa voix nous fit sursauter.

— Et les morts ne dansent pas, ajouta Bandit d'une voix lugubre. Ils ne bougent plus. Ils sont morts et ils le restent.

Il se rapprocha, sans hâte. Ses yeux allaient de Paloma à moi, de moi à Paloma. Cette dernière releva soudain le menton.

— Pourquoi dis-tu ça ? fit-elle. Il progresse. Il y a seulement une semaine, il ne savait même pas quel œil fermer pour viser. Aujourd'hui, tu as bien vu : sa balle a frappé à quelques centimètres à peine !

— J'ai vu, confirma Bandit. Et je dis que quelques centimètres, c'est trop. Un centimètre, c'est encore trop. C'est toute la différence entre vivre et mourir.

Il se tourna vers moi :

— Est-ce que tu veux sa peau ? lança-t-il.

— Sa peau ? soufflai-je sans comprendre.

— Celle de ton ennemi. Est-ce que tu veux sa peau autant qu'il veut la tienne ? Est-ce que tu la veux vraiment ?

— Je... je ne sais pas... balbutiai-je.

— Si tu ne sais pas ça, alors laisse ton arme à sa place. N'y touche pas. Soit tu tires pour tuer, soit tu vas planquer tes fesses de rat derrière un rocher en attendant que ça s'passe. Ça vaudra mieux pour toi... Tu connais la règle, fils : tue ou meurs. Pas d'autre choix possible.

— C'est faux ! intervint Paloma avec cran. La mort, toujours la mort : il n'y a pas que ça ! On peut choisir la vie, aussi. Et tu le sais parfaitement, Bandit. C'est toi qui lui as donné cette arme. C'est toi qui lui as mis cette idée en tête. Pourquoi ? Il n'est pas fait pour ça !

Bandit la toisa un long moment. Je n'avais encore jamais vu personne lui tenir front, et je craignais le pire. Paloma ne baissa pas les yeux. Je pris conscience à ce moment-là de tout ce que leurs regards pouvaient avoir en commun. Au plus profond de leurs pupilles noires brûlait le même feu.

Puis, à mon grand étonnement, je crus bientôt voir se dessiner sur les lèvres de Bandit l'amorce d'un sourire. Quelque chose d'aussi fin et tranchant que le fil d'un rasoir, et dont je n'eus pas le temps de saisir la signification. Lorsqu'il tourna à nouveau la tête vers moi, l'expression s'était effacée.

— Reprends ce fusil, dit-il.

J'hésitai.

— Reprends ce fusil, répéta Bandit. Et remets-toi en position.

Je lançai un coup d'œil à Paloma. Puis j'épaulai la Winchester.

— Qu'est-ce que tu vises ? demanda Bandit.

— Le caillou blanc, fis-je d'une voix mal assurée. Là-bas, sur le rocher.

— Non, dit Bandit. Il n'y a pas de caillou blanc. Il n'y a pas de rocher. Écoute-moi bien, fils : ce qu'il y a là-bas, c'est ton pire ennemi. C'est l'homme qui t'a blessé et humilié. C'est l'homme qui t'a broyé le cœur... Tu le reconnais, pas vrai ? Mais oui, je sais que tu le reconnais. Eh bien, c'est cet enfant de salaud que tu dois atteindre. C'est lui, ta cible !

Bandit s'était rapproché de moi. Si près que sa voix n'était plus qu'un murmure, un sifflement aigu qui me vrillait les tympans. Je sentis mon sang se glacer en même temps qu'une fine pellicule de sueur m'enveloppait le corps. Je resserrai ma prise sur la crosse du fusil.

— Pense à tout le mal qu'il t'a fait, continua Bandit. Il t'a tout pris. Tout ce que tu possédais, tout ce que tu aimais. Et maintenant, il s'apprête à prendre ta vie. Ta vie même. Ton dernier souffle, il le veut... Parce que lui aussi te tient en joue, n'oublie pas ça. Et si tu le rates, fils, si ta balle s'égare ne serait-ce que d'un minuscule centimètre, lui ne te ratera pas ! Je te l'ai dit. Je t'ai prévenu : c'est toi ou lui. Tue ou meurs !... Alors, s'il te plaît, ne me parle plus de caillou blanc et descends-moi cette ordure !

Le sifflement cessa. Quelque chose de salé, sueur ou larme, me brûlait la rétine. Mes mains moites étaient cramponnées à la Winchester comme à la plus haute branche d'un arbre. Sous moi s'ouvrait tout à coup le néant, l'infini néant au-dessus duquel je me balançais, seul, infiniment seul, perdu dans l'immensité.

Et j'eus bientôt le sentiment de ne plus tenir que par un unique doigt : mon index, posé sur la détente, qui tremblait imperceptiblement...

— Tue-le ! aboya Bandit.

Je bloquai ma respiration. Ma vue se teinta de rouge. Je tirai.

Un long silence suivit la détonation, durant lequel je gardai les paupières closes. Quand je les relevai, la fumée s'était dissipée et les papillons avaient repris leur vol. Bandit se tenait absolument immobile, comme prostré. Ses yeux fixaient la cible.

Là-bas, le caillou blanc avait disparu. La balle l'avait pulvérisé. Mais nul ne sauta de joie ni ne dansa.

En plus d'être mon maître d'armes, Paloma devint également mon maître d'équitation. Une idée à elle, cette fois. Pour compléter mon apprentissage, il me fallait savoir tenir en selle. « Un homme sans cheval, disait-elle, c'est comme un lapin sans pattes : il a tôt fait de finir grillé ! »

Il y avait parmi le troupeau une vieille jument aux yeux d'un gris de cendre. On la nommait « Grand'ma » – la grand-mère. La moitié d'une oreille lui manquait, souvenir d'un méchant coup de dents. Étant donné son âge, plus personne ne la chevauchait, mais, afin de ne pas avoir à s'en défaire, on lui avait trouvé une autre utilité : celle de porter les fardeaux. Rétrogradée par la force des choses au rang de simple mule, elle n'en accomplissait pas moins sa tâche avec courage et docilité.

C'est cette brave bête qui fut ma première monture.

Après avoir pris Grand'ma à part et lui avoir longuement chuchoté je ne sais quoi à l'oreille, Paloma la conduisit vers moi et fit les présentations. J'étais impatient de grimper sur le dos de la jument, mais Paloma me montra d'abord comment la soigner et la préparer. Elle m'enseigna les gestes à faire et les mots à dire. De la douceur, de la douceur, de la douceur... et de la poigne !

Trois jours durant je lustrai le poil de la bête, je lui passai l'étrille, je curai ses sabots, je la couvris de caresses et démêlai sa crinière entre mes doigts tout en lui soufflant de ces tendres paroles qui me venaient aisément aux lèvres. Je gagnai peu à peu sa confiance et son estime, et ce n'est qu'après cela qu'elle me fit l'honneur de se laisser monter.

J'avoue que je n'étais pas peu fier lorsque pour la première fois je pris place sur sa croupe.

De son côté, Grand'ma trouva aussi son compte dans cette expérience. Ce fut pour elle comme une seconde jeunesse. Se voir ainsi à nouveau chevauchée après tant d'années lui procura un formidable regain de vitalité. Elle se livra à l'exercice avec une ardeur, une énergie qui bluffèrent Paloma elle-même. Non seulement la vieille jument ne rechignait point à la peine, mais elle se montrait d'une humeur exquise et faisait tout son possible pour me faciliter la tâche.

Qui eût parié qu'au bout d'une semaine le sol de la prairie tremblerait sous le galop du jeune cavalier et de son antique destrier ?

Désormais je n'aurais plus à m'asseoir sur le chariot au côté de la baronne. Cela me fit l'effet d'une sorte de consécration. Je possédais mon propre fusil, je possédais mon propre cheval : je me sentais pousser des ailes.

Et puis... Et puis, il y eut encore autre chose que Paloma m'offrit au cours de cette période. Pourquoi le taire ? J'ai passé depuis longtemps l'âge des fausses pudeurs. Bien qu'il fût sans doute involontaire de sa part, ce don qu'elle me fit devait rester gravé à jamais dans ma mémoire. Comme un ancien aveugle ne pourrait oublier l'instant béni où il recouvra la vue.

À quelque distance du campement se dressait un énorme rocher. Il était planté droit dans le sol comme si on l'avait lancé avec force d'une lointaine planète. Et derrière ce gigantesque paravent s'était formée une espèce de cuvette au fond de laquelle sourdait une source chaude. Ce trou faisait à peu près un mètre de profondeur sur deux de diamètre, la température naturelle de l'eau avoisinait les vingt-cinq degrés, et le tout n'était pas sans me rappeler ces bassins thermaux où, dans une autre vie, on m'avait si souvent contraint à immerger mon corps.

Paloma et moi avions découvert cet endroit au fil de nos explorations. Était-ce par flânerie ou pour satisfaire un besoin pressant que j'y retournai ? Je ne sais plus. Toujours est-il que je remercie le hasard qui y guida mes pas pour la seconde fois. J'étais seul. Du moins le croyais-je, car, parvenu aux abords de la source, je perçus tout à coup un son, incongru en ces lieux : quelqu'un fredonnait.

Par réflexe, je m'aplatis derrière un buisson, l'oreille aux aguets. Au bout de quelques instants, je me détendis en reconnaissant la voix de Paloma. Je décidai néanmoins de ne pas me montrer tout de suite afin de ne pas l'interrompre. D'autant que je me trouvais plutôt bien, couché sur ce lit d'herbe tendre. Nous étions au début de l'après-midi, une douce chaleur m'enveloppait de ses ondes et la mélodie me berçait. De sorte que mes paupières ne tardèrent pas à s'alourdir et que je manquai de peu m'assoupir.

Mais le chant cessa, et la brusque retombée du silence me tira de ma torpeur. J'étais sur le point de me relever lorsque Paloma parut au détour du rocher. Elle sortait de son bain. Elle était nue comme au premier jour.

Seigneur…

Si je ferme les yeux, là, à l'instant même, si je laisse ma plume en suspens pour enfouir mon visage dans le noir de mes vieilles mains fripées, je peux encore la voir. Encore, oui, encore, nette, précise, intacte, inaccessible au temps, je le jure, assurément la plus sublime vision qu'il m'ait jamais été accordée, je jure que je peux la faire renaître.

Oh, Seigneur… Je l'ai fait si souvent.

J'en ai perdu le souffle et la salive sur le coup. Et toute capacité de mouvement. Littéralement atterré, plaqué au sol par un poids trop lourd à soulever, j'en ressentais comme une exquise souffrance.

Paloma ruisselait. Sur sa peau, des milliers de petites gouttes scintillaient comme une rivière de diamants. Elle se pencha de manière à faire basculer ses longs cheveux vers l'avant, puis les essora en les tordant comme un linge. D'un vif mouvement de tête, elle les rejeta ensuite vers l'arrière. Des mèches brunes se collèrent à son front et à ses épaules. Après quoi, Paloma se plaqua contre la pierre lisse et tiède du rocher, telle une magnifique salamandre, la face tournée vers les rayons du soleil, les yeux mi-clos ; et elle demeura ainsi à se faire sécher un long, un très long moment.

Tout cela se passait à moins de quinze pas de moi. Certes, il y avait bien cette petite voix qui me sommait de détourner le regard, mais elle était si faible, si inconsistante. Et comment lui aurais-je obéi quand mon être tout entier était contenu dans ce regard – quand il n'était plus que ça ? Le détourner eût été nier mon existence même.

Longtemps après que Paloma eut rejoint le campement, le charme opérait encore. Je n'avais pas bougé. Je tentais de prolonger cette délicieuse sensation en scrutant, jusqu'à sa totale disparition, l'empreinte que son corps humide avait laissée à la surface de la roche.

Par la suite, Paloma retourna à plusieurs reprises prendre son bain à la source chaude. Elle eut chaque fois un témoin fidèle et discret, un petit page, serviteur muet, ébloui, transi d'admiration. Se peut-il qu'elle ne se soit jamais doutée de sa présence ?

Hélas, tout a une fin. J'avais beaucoup appris durant ces six semaines, dans de nombreux et différents domaines. Mais cette riche période s'acheva brutalement, par un sale matin gris. Le ciel était si bas qu'on eût dit que l'Arbre aux Pendus avait étendu son ombre à toute la prairie.

18

Les secrets d'une âme sont d'obscurs marécages

On prétend que dans certaines contrées la pluie invite à une rêveuse mélancolie. Là-bas, sur ces terres sauvages, elle semblait plutôt exacerber les sens et déchaîner les passions. Le cœur des hommes avait peut-être une relation intime et instinctive avec les cieux ; ils avaient en tout cas en commun d'être rarement en demi-teinte.

Il n'était pas tombé une goutte depuis ce fameux jour, au village des lépreux, où j'avais tenté d'assassiner Bandit. Et voilà qu'à présent, près de l'Arbre aux Pendus, une autre averse se préparait, tout aussi violente. Lorsque je m'éveillai, à l'aube, les nuages finissaient de se rassembler au-dessus du camp. La couche qu'ils formaient était si épaisse et si noire que je me crus encore au milieu de la nuit. Sans aucune étoile pour me guider.

J'étais prêt à replonger dans le sommeil quand une détonation fracassa le silence. Une seule certitude : cela n'était pas dû au tonnerre. S'ensuivit une espèce de miaulement accompagné de sourds éclats de voix. Paloma se leva d'un bond. Je l'imitai. Après avoir échangé un coup d'œil, nous

nous précipitâmes vers le centre du bivouac, non sans que je me fusse muni au passage de ma Winchester.

Le feu était éteint. Aux abords du foyer, des silhouettes se redressaient en hâte, comme pour un branle-bas de combat. Toutes convergèrent vers le même point, d'où provenaient les bruits. Paloma et moi suivîmes le mouvement. Dans la pénombre et la confusion qui régnaient, je ne discernais pas autre chose qu'une horde d'épouvantails sur pattes, sans visage. Mais bientôt nous fûmes tous freinés dans notre élan par le vacarme d'une seconde détonation. Puis, par le rugissement d'une voix, dont les paroles, cette fois-ci, résonnèrent distinctement à nos oreilles.

— Le prochain qui fait un pas de plus, je lui fais sauter la cervelle !

La troupe s'immobilisa, dessinant un semblant d'arc de cercle face à l'homme qui venait de proférer cette menace. Celui-ci brandissait un revolver dans chaque main. Le premier était pointé vers le sol, à ses pieds, où gisait le corps d'une femme. Le second était tourné sur le côté et maintenait Bandit en joue.

Durant quelques instants, on ne perçut ni le moindre son ni le moindre mouvement, comme si chacun avait besoin de ce délai pour bien réaliser ce qui se passait. Alors la femme qui était à terre releva soudain la tête :

— C'est lui, Bandit ! lança-t-elle. C'est ce chacal qui nous a trahis ! Il me l'a dit, c'est lui qui…

— La ferme ! hurla l'homme aux revolvers. Boucle-la si tu tiens à c'qui te reste au moins une jambe pour danser !

Il agita son colt, et Félicia la danseuse (car c'était elle qui gisait sur le sol) referma les mâchoires, sans doute davantage à cause de la douleur que de la crainte. Félicia avait essuyé le premier coup de feu ; la balle lui avait traversé la cuisse.

Bandit ne bronchait pas. Il était debout, les bras le long du corps, et fixait son adversaire d'un regard de pierre.

Il me fallut à moi-même une poignée de secondes avant de reconnaître l'homme qui nous menaçait. Mais quand ce fut fait, cela me procura un fort sentiment d'évidence ; comme un nom qui nous échappe, que l'on garde longtemps sur le bout de la langue, puis qui jaillit, qui se révèle enfin, dans un éclair de mémoire ou de lucidité.

En l'occurrence, ce nom était... Miguel.

Il faut dire que l'ancêtre était méconnaissable. Il ne se rasait plus depuis plusieurs jours, tout le bas de son visage disparaissait sous une broussaille de barbe grise tandis que le haut était caché sous le large bord d'un chapeau enfoncé jusqu'aux sourcils. Ne ressortaient que ses yeux, l'éclat de ses yeux, furieux, fiévreux, dément, plus noir que l'orifice des revolvers qu'il brandissait, plus brillant que les flammes qui pouvaient à tout instant en surgir. Une figure de gnome maléfique, possédé, au milieu de laquelle, pour la première fois je crois, aucune pipe n'était plantée.

Miguel ? Toi, Miguel ?... Mais comment est-ce possible ?... Et surtout, pourquoi ? Pourquoi, bon sang ? Pourquoi ?...

Si nul ne disait mot, il n'était pourtant pas difficile de deviner les pensées qui se heurtaient à l'intérieur des crânes. La plupart d'entre nous affichaient une expression médusée ou franchement abasourdie.

La trahison se mesure-t-elle à l'aune de la confiance qui la précédait ?

Miguel était certainement le plus ancien compagnon de Bandit. Son plus fidèle lieutenant. Son bras droit. Son frère d'armes.

Aujourd'hui, Miguel était le traître.

— Alors, grand chef, tu dis plus rien ? cracha soudain l'ancêtre. Pas de beau discours, ce matin ?... Hé, hé ! Le vieux Miguel s'est rebiffé et ça te coupe la chique, ça, hein ! Pas vrai, Bandit ?

Sa voix grinçait. Un rictus de hyène lui déformait les lèvres. Je compris qu'il était à moitié ivre. L'alcool autant qu'une sorte de démence le tenaient sous son emprise.

— Lâche ces armes, Miguel, dit quelqu'un dans l'assemblée. Ça sert à rien. Tu pourras peut-être en dégommer un ou deux, mais t'auras jamais le temps de nous tuer tous... Et puis, si c'est vrai, c'qu'on vient d'entendre, alors t'as déjà fait assez de dégâts comme ça. Pas la peine d'en rajouter.

C'était la baronne. Elle s'était exprimée avec calme et fermeté.

— Bandit aurait donné sa vie pour toi, dit-elle encore. Il la donnerait pour n'importe lequel d'entre nous. Et tu le sais.

Miguel émit un ricanement, bref, sec.

— Faux ! s'écria-t-il. Bandit m'a jamais rien donné. Jamais. À part des ordres... Miguel, fais ci ! Miguel, fais ça ! Attaque, Miguel ! Aux pieds, Miguel !... Des ordres, c'est tout ce qu'il m'a donné, comme à un foutu clébard ! Bandit ne donne pas. Il prend. Il se sert. Et si t'es un brave toutou bien obéissant, alors p't-êt' bien qu'il te jettera un os à ronger sous la table ! C'est comme ça que ça marche, avec lui, qu'est-ce que vous croyez !

— C'que je crois, répliqua la baronne sans changer de ton, c'est que personne t'a forcé à le suivre. T'es ici de ton plein gré, tout comme chacun d'entre nous. J'suis pas là pour le défendre, il est assez grand pour ça, mais y a certaines choses que t'as pas l'droit de dire. À c'que je sais, Bandit n'est pas plus riche que toi ou moi. Il bouffe pareil que nous tous, il avale la même poussière, il dort pas dans des draps de soie et il refile pas sa part de bagarre à quiconque. Alors j'vois pas où sont les privilèges dans cette affaire.

Des hochements de tête et des murmures d'approbation ponctuèrent les mots de la baronne. Quelqu'un cria :

— Pas d'excuses, espèce de fumier !

— Vos gueules ! s'égosilla Miguel en agitant les revolvers. Vous avez rien compris !... Qui c'est qui se souviendra de toi, madame la baronne, quand t'auras crevé la gueule ouverte dans ce désert ? Quand les charognards auront curé ta carcasse jusqu'à l'os. Qui se souviendra de moi ? Et de vous tous, tas de chiens galeux ? Personne ! Personne, vous m'entendez ?... Y en aura que pour lui, encore une fois ! Les gens se souviendront du célèbre Bandit, ce diable, ce héros. Peut-être même qu'il finira par avoir son portrait dans les livres d'histoire, qui sait ? Et le vieux Miguel, alors, il est où ? On le voit pas sur l'image... C'est parce qu'il ne compte pas, le vieux Miguel. Il n'existe pas. Et pareil pour les pauvres larves rampantes que vous êtes !

La jalousie, la haine, une haine féroce : voilà ce qui flambait dans les pupilles de l'ancêtre, et suintait par tous ses pores. Qui aurait pu soupçonner que son âme renfermait une telle rancœur ? Que ses veines charriaient autant de venin ?

— Si on se bat, c'est sûrement pas pour la gloire, décréta la baronne.

— Tant mieux, parce que tu l'auras pas ! Ni la gloire, ni l'or, ni même une petite prière en ta mémoire. Tout ça, y a que le grand chef qui y aura droit !

— Si t'as des choses à reprocher à Bandit, pourquoi tu t'en es pas expliqué avec lui, d'homme à homme ?

— Quel homme ? intervint Félicia. Je vois pas d'homme ici. Je vois qu'un sale porc, un vieux goret puant en train de grogner ! Bon Dieu, y en a pas un qui va se décider à lui clouer le groin ?

Elle avait mal. Elle se tenait la cuisse à deux mains. Elle avait craché ces mots entre ses dents serrées.

— Toi, je t'ai dit de la fermer ! rugit de nouveau Miguel.

Bandit n'avait toujours pas ouvert la bouche, ni esquissé un seul geste. On aurait pu le croire changé en statue d'airain par je ne sais quel sortilège. Qu'attendait-il ? Son plan avait fonctionné : les nerfs du traître avaient fini par lâcher. Et la patience de Bandit avait porté ses fruits, si l'on peut dire – de ces fruits exécrables qui se balançaient sous les branches du grand arbre. Comment, à présent, comptait-il les cueillir ?

— Ça suffit ! s'écria l'ancêtre. J'en ai ma claque de tout ça. Vous pouvez penser c'que vous voulez, j'en ai rien à foutre ! C'est fini. Terminé !

Tout suant, les yeux exorbités, il se tourna de nouveau vers Bandit et raffermit son bras qui tenait l'un des colts.

— Paraît que le diable ne craint pas les balles, fit-il, eh ben, on va vérifier ça tout de suite…

Ses lèvres se retroussèrent et il souffla : « T'es mort, Bandit ! »

Il n'y eut pas de coup de tonnerre. Il n'y eut pas d'éclair déchirant le ciel. Seulement une goutte, tiède et lourde, qui s'écrasa sans bruit sur ma joue. Et c'est à ce moment-là que je m'écriai :

— Tu vas le tuer comme tu as tué Amalia, c'est ça ?

Je me serais mis à vomir des vipères que cela n'eût pas eu plus d'effet. Trente paires d'yeux pivotèrent vers moi en même temps. J'affrontai ceux, écarquillés, de Paloma. Une fois n'est pas coutume : j'avais réussi à la surprendre. Je ne peux raisonnablement pas dire pourquoi j'avais lancé cette affirmation. Les mots étaient sortis tout seuls. Cinq secondes plus tôt, je n'y songeais même pas. Peut-être que ce que m'avait rapporté la baronne avait fait son chemin dans un recoin de mon cerveau, sans que je m'en rende compte ; et peut-être que le chemin conduisait à cette... à cette « illumination » ?

Je n'étais sûr de rien.

Passé cet instant de stupeur, la troupe se mit à bruisser. Beaucoup, surtout parmi les récentes recrues, ignoraient qui était Amalia. Il y eut quelques remous, des chuchotis. Puis la voix de la baronne s'éleva de nouveau. Elle s'adressait à moi :

— Explique-toi, Mosquito. Qu'est-ce que ça veut dire ?

Je remarquai que Bandit lui-même m'observait du coin de l'œil. J'inspirai un bon coup.

— Ce n'est pas à moi de m'expliquer, il me semble, c'est à lui ! fis-je en désignant Miguel.

Je n'avais pas achevé ma phrase que ce dernier partit dans un formidable rire, propre à un démon ou à un fou à lier. L'ancêtre avait la gorge renversée vers le ciel, son corps entier tressautait ; et tandis que l'éclat de son rire redoublait, je vis, tout à côté de moi, les poings de Paloma qui se refermaient. Ses lèvres se soudèrent en un pli net, dur, et les ailes de son nez se mirent à palpiter lentement telles les valves d'un cœur, un cœur pâle, que le sang ne parviendrait plus à irriguer.

— Est-ce que tu as fait ça, Miguel ? demanda la baronne d'une voix où grondait à présent la colère.

Le rire cessa aussi brusquement qu'il avait jailli. Le vieux planta l'ardent tison de son regard dans le mien.

— Bravo, l'avorton ! ricana-t-il. On dirait que t'en as un peu plus dans la caboche que dans le pantalon !

Puis il exhala un puissant soupir et répéta trois fois d'affilée : « Amalia, Amalia, Amalia… », comme si c'était le refrain d'une chanson nostalgique et les seules paroles dont il se souvenait.

— À l'époque, tu as dit que vous étiez tombés dans une embuscade, insista la baronne. Tu as dit que ceux qui vous avaient piégés étaient trois fois plus nombreux que vous, et que c'était un miracle si tu avais pu t'en tirer vivant !

— Un miracle ! Un grand miracle, oh, doux Jésus ! se moqua le vieux en exhibant un sourire béat.

— La seule embuscade, m'écriai-je, c'est lui-même qui l'a tendue. Et le seul miracle, c'est que tout le monde y ait cru !… Personne pour mettre sa parole en doute. Pourquoi ? Parce que, jusqu'à ce jour, vous lui faisiez confiance. Tous autant que nous sommes nous lui faisions confiance. Exactement comme Amalia et le reste du groupe avaient confiance en lui. Et lui, qu'a-t-il fait en échange ?… Il ne leur a laissé aucune chance ! Aucun survivant derrière lui ! Aucun témoin de son crime !

Je me tus. J'étais aussi essoufflé que si je venais de gravir une colline en courant. De plus, j'étais désolé que Paloma entende ça ; je n'avais aucunement l'intention de la faire souffrir, mais, d'une certaine façon, c'était elle qui m'avait ouvert les yeux sur la mort de mes parents, et cela me paraissait honnête de lui rendre la pareille. Souvent la vérité ressemble à une lame d'acier : froide, dure, effilée. Il n'empêche que si elle devait frapper, c'était à cette heure ou jamais.

— Miguel ? tonna la baronne.

Elle attendait une réaction de sa part. Qu'il nie ou qu'il avoue. Qu'il proteste, qu'il se défende. Le vieux semblait s'être soudain absenté, son regard scrutait un point dans le vide. Et le ciel continuait de verser ses larmes une à une, au compte-gouttes, comme si chacune était l'ultime et la plus précieuse qui fût.

Puis Miguel revint tout à coup parmi nous et il explosa :

— Amalia était à moi ! À moi ! Elle m'appartenait. Tu n'avais pas le droit de me la prendre, espèce de vautour ! hurla-t-il à l'adresse de Bandit. Quand je vous disais que ce rapace ne pense qu'à se servir. Il plante ses griffes et il arrache et tant pis si ça fait mal !

— C'est pour ça que tu l'as tuée ? s'écria la baronne. C'est pour ça que tu les as tous tués, tes propres compagnons, simplement parce que tu étais jaloux ?

— Cette garce m'avait trahi. C'est tout ce qu'elle méritait !

— Comment peux-tu dire une chose pareille ? Il n'y a qu'un traître ici, et c'est toi ! Amalia n'appartenait à personne. Elle était libre. Libre de choisir qui elle voulait, libre d'aimer qui elle voulait !

Je n'avais jamais vu la baronne dans un tel état. L'indignation, la rage enflaient en elle et on la sentait vibrer, prête à charger comme un taureau furieux grattant le sol. Et face à elle il y avait cet homme à demi fou, à demi soûl, tout boursouflé de haine et de venin.

Combien de temps restait-il ? Combien de minutes, combien de secondes encore avant le grand choc ?

— Non ! hurla de nouveau Miguel. Elle était à moi. C'était moi qu'elle aurait choisi si ce démon ne l'avait pas forcée. Il l'a détournée. Il l'a aveuglée. Il l'a envoûtée comme il vous a tous envoûtés. Parce qu'il est le diable et parce qu'il veut tout. Et alors elle était perdue, perdue cette chienne d'Amalia, et il a bien fallu que je l'abatte comme une bête blessée !

Il releva le bras, visa Bandit pour la troisième fois, et il dit :

— Et maintenant, il est grand temps que je te règle ton compte à toi aussi !... Ah, tu la voulais ? Eh bien tu vas l'avoir, ta maudite catin ! Parce que je vais t'envoyer tout droit la rejoindre en enfer !

Ses mots abjects et délirants résonnaient encore sous la voûte basse des nuages quand je sentis qu'on m'arrachait brutalement le fusil que j'avais gardé à la main.

Paloma !

Je n'eus même pas le temps de prononcer son nom. Paloma fit un pas en avant tout en épaulant la Winchester, dont elle pointa le canon sur Miguel. Le vieux fou dut flairer le danger. Dans un réflexe étonnant, il pivota et braqua sur elle ses deux prunelles incandescentes et celles, noires et mortelles, de ses revolvers.

J'ouvris la bouche et criai :

— Non !

Trop tard.

Mon cri fut couvert par le bruit de la détonation. Puis une seconde lui fit écho, presque simultanément.

Deux coups de feu. Deux balles.

J'avais fermé les yeux. Quand je les rouvris, ce fut pour découvrir Miguel en train de fixer ses deux mains vides, ensanglantées. Ses colts gisaient à terre, à ses pieds. L'ancêtre demeura un court instant ainsi, éberlué, puis il tomba à genoux en poussant un nouveau hurlement, mélange de douleur et d'impuissance.

Je relâchai d'un coup tout l'air retenu dans mes poumons et tournai la tête vers Bandit. Il était toujours campé à la même place ; pas un de ses muscles ne semblait avoir bougé. Visage fermé, regard fixe. L'unique différence était que son revolver avait quitté son étui et se trouvait à présent dans le creux de sa main droite, au bout de son bras à demi tendu.

C'était de là que les balles avaient jailli.

Miguel le traître continuait de vociférer, vautré sur l'herbe humide. D'un même mouvement la troupe se mit en branle et se précipita vers lui, mais Paloma fut la première arrivée. Elle n'avait pas baissé le fusil. La gueule de la Winchester pointait à moins d'un mètre de sa cible. Il n'y avait même pas besoin de viser. Une simple pression de l'index et c'en serait fini, les crimes seraient punis, sanctionnés, le monde enfin débarrassé de cette infâme vermine. Un ultime coup de feu, comme un ultime coup de canon, en mémoire de la pauvre Amalia et de toutes les autres victimes.

La tentation était forte. Paloma serrait la crosse du fusil ; les os de ses mâchoires saillaient sous la peau et sa poitrine se soulevait par à-coups, rapides et rapprochés, comme les battements de cœur d'un oisillon sous son duvet.

La troupe faisait corps autour d'elle, paraissant attendre sa décision. La baronne se fraya un passage à grands coups d'épaules. Parvenue au côté de Paloma, elle dit :

— Va pas souiller ton âme pour lui, ma belle. Il en vaut pas la peine.

Sa voix, rauque, fêlée, s'était radoucie. Elle posa sa paume à plat sur le canon de la Winchester et d'un mouvement lent, très lent, le repoussa vers le bas. Paloma résista un court instant, puis laissa faire. La baronne finit par lui retirer l'arme. Les bras de Paloma retombèrent le long de son corps. Elle resta encore un moment à scruter l'ancêtre qui braillait à ses pieds, puis elle fit volte-face et s'éloigna d'un pas rapide. Je fus tenté de la suivre, mais mes jambes refusèrent d'obéir.

Tandis que deux ou trois hommes empoignaient Miguel et le relevaient sans ménagement, la baronne s'avança vers moi. Elle me rendit mon arme et dit :

— Tâche de la garder auprès de toi et d'en prendre un peu plus soin, dorénavant.

Son ton et son regard étaient sévères, sans concession. Je n'étais pas du tout certain qu'elle parle de la Winchester.

Nous quittâmes les lieux le jour même. Notre présence n'avait plus de raison d'être. En une heure à peine le bivouac fut défait, les affaires rassemblées et entassées à l'arrière des chariots. Pour ma part, je pris place sur le dos de la brave Grand'ma.

Je ne devais plus jamais revoir cet endroit.

Au signal du départ, quand le convoi s'ébranla, je ne fus pas le seul à me retourner pour jeter un dernier coup d'œil vers le macabre et gigantissime seigneur de ce royaume : l'Arbre aux Pendus.

Il comptait désormais une grappe de plus au bout de ses branches. Un fruit déjà bien mûr et flétri. Quelqu'un n'avait pas manqué d'y enfoncer une vieille pipe au fourneau définitivement éteint.

Ainsi, nous laissâmes derrière nous l'arbre et la prairie, et ces dizaines de rochers tout autour sur lesquels Paloma avait inscrit son nom en lettres de charbon. La pluie tombait dru, maintenant. Abeilles et papillons, fourmis et sauterelles se tenaient à l'abri. Il ne pouvait y avoir que des hommes pour marcher par un temps pareil. Des hommes sans maison.

19

Les confins du ciel sont des salles de bal

Des hivers il me reste l'image de ton visage emmitouflé dans un grand châle vert d'où il émergeait à peine, comme le museau d'une musaraigne. J'aimais fouiller du regard sous la laine, dans l'ombre, pour surprendre l'éclat de tes yeux. Quand tu souriais tes dents avaient le blanc des neiges éternelles.

Il me reste le bout de nos doigts glacés dépassant des mitaines. Qui se cherchaient. Qui se trouvaient. « Souffle », tu me disais. Et alors je les portais à mes lèvres et gonflais les joues et j'allais puiser tout au fond dans mes réserves pour déposer dans le creux de tes mains la tiédeur de mon haleine.

« Encore », tu me disais.

Et après ça ton tour venait et tu faisais de même, et nos souffles et nos doigts se mêlaient jusqu'à ce que nul ne fût plus en mesure de les dissocier.

Du baume pour tes engelures et mes lèvres gercées.

Je ne m'attendais pas à un froid si rude.

Le feu brûlait toute la nuit et la troupe entière se ramassait au plus près des flammes. Nous dormions toi et moi sous une couverture unique comme deux enfants partageant le même lit devant le poêle. Nos corps blottis, serrés l'un contre l'autre. Un nid de chaud. Il me reste l'empreinte de tes os dans ma chair. Il me reste l'odeur de la fumée dans tes cheveux.

Au matin un fin manteau nous recouvrait, où l'on ne distinguait plus la cendre du givre.

De petits nuages naissaient aux naseaux des chevaux pour s'effilocher très vite au-dessus de nos têtes. Et quand, au sortir d'un galop, leur cuir fumait, quand l'écume séchait sur leurs flancs et montait en épaisses volutes de vapeur grise, alors on aurait juré que les braves bêtes étaient en train de cuire sur pied.

Il me reste dans l'oreille le cliquetis de leurs fers sur les pierres gelées.

Il y a eu la pluie et la grêle et il nous est arrivé d'apercevoir des montagnes immaculées, des crêtes, des cols poudrés, amidonnés de neige fraîche. Il y a eu la bise engouffrée dans les canyons et les défilés, cette terrible bise venue du nord qui nous cueillait en pleine face et qui semblait devoir nous arracher jusqu'à la plus infime parcelle de chair afin de siffler son air glacial à travers nos squelettes. Le vent, le vent, et nous qui courbions l'échine, dos rond, nous qui plantions nos mentons dans nos poitrines pour offrir la moindre prise à ses griffes acérées.

Et cette fois où tu as découvert une caverne au plafond hérissé de piques de glace. Des stalactites aussi pointues que des baïonnettes. Tu prétendais sans rire que c'étaient des cierges. Un autel à l'envers. Tu disais que la Terre tournait sur elle-même. Il y avait également sur le sol au fond de cette grotte un petit tas d'ossements sur lequel nous avons bien failli marcher. Les os du gardien solitaire. Tu parlais d'un sage, d'un sorcier, d'un ermite, tandis que je n'y voyais que les pauvres vestiges d'un lynx ou d'un puma. Nous ne saurons jamais. Avant de partir je voulais par jeu décrocher les glaçons, mais tu as retenu mon bras.

Il y a eu quatre hivers et autant d'étés. La canicule et le gel. Et pendant tout ce temps nous n'avons pas cessé de repousser nos limites. Notre apprentissage se poursuivait. Tu lisais en selle, tu lisais à la chandelle sous une tente improvisée ; et l'on aurait pu te suivre à la trace grâce aux innombrables phrases que tu laissais à ton passage sur quelque surface qui se présentait. Ton journal à ciel ouvert.

Pour ma part j'en vins à pouvoir faucher un lièvre en pleine course, à cinquante mètres et d'une seule balle. Lâcher les rennes au galop pour épauler le fusil. Garder l'équilibre. Tirer vite. Viser juste. Chaque jour un peu plus d'assurance et d'adresse. J'ai gagné ma place au sein des groupes de chasse. J'ai gagné le droit de courir la plaine à ton côté. Dieu, que j'aimais ça ! C'était à qui débusquerait la proie le premier, à qui rapporterait la plus grosse part de gibier. Il m'est arrivé quelquefois de te coiffer au poteau, ma belle. Chaque jour un peu plus de ruse et d'efficacité. Je voulais t'éblouir. Mon air de fausse modestie trahi par le torse bombé sous ma chemise. Droit comme un i sur le chemin du retour, les trophées sanguinolents suspendus à ma selle. Ça t'amusait, n'est-ce pas ? Ce petit pli ironique au coin de ton sourire, c'était ça ?

Chaque jour un peu plus de complicité.

Chaque jour un peu plus d'amour.

Le temps de la métamorphose. Les saisons passaient et mes membres s'allongeaient. Sous ma peau je pouvais sentir les muscles se former et grossir et durcir, et ma peau elle-même se transformait. Je laissais dans mon sillage une mue pâle et tendre pour me couvrir de cuir tanné. Adieu l'enfant chétif, adieu larve et chrysalide : le cocon avait volé en éclats et il en surgissait une créature qu'on aurait crue d'une autre espèce. Un être entièrement neuf.

Car il ne s'agissait pas simplement de devenir un homme. Pour survivre, encore fallait-il se forger un corps et un caractère aux normes de cet univers qui était le nôtre. Malheur à celui qui n'était pas capable de s'adapter à ses règles, d'une extrême rigueur, malheur à celui qui ne pouvait obéir à sa loi. À l'image de vous tous qui m'entouriez, j'étais en train de devenir un guerrier.

Tout s'apprend, m'avait dit Bandit.

Il s'est produit un curieux phénomène entre lui et moi. Au fil des semaines et des mois, son attitude à mon égard a changé. Il s'est rapproché. Sa langue s'est déliée. Lui, si avare de paroles, s'est mis à me prodiguer de plus en plus souvent conseils et réflexions. Il m'a pris sous son aile. Comme si, après avoir confié le gros œuvre de mon instruction à Paloma, il avait décidé à présent de se charger lui-même des finitions. De peaufiner les détails. D'en faire une affaire personnelle, en quelque sorte.

Je me suis beaucoup interrogé sur ses véritables intentions. On aurait dit que Bandit cherchait à me fournir toutes les armes qui me rendraient plus fort, plus puissant (y compris cette arme tout à fait concrète qu'était la Winchester), tout en sachant pertinemment que cela pouvait se retourner contre lui. Car je n'avais pas encore enterré toute idée de vengeance. Comment oublier ce que j'avais subi ? Comment pardonner ? Du haut en bas de ma poitrine couraient trois pâles cicatrices, et dans un coin de mon esprit trottait toujours cette phrase que Bandit lui-même m'avait jetée à la face au moment où j'avais tenté de le poignarder : « *La prochaine fois, ne me rate pas !* »

Je suis certain qu'il ne l'avait pas oubliée non plus.

D'un côté Bandit était responsable de la mort de mes parents, et d'un autre côté voilà qu'il se comportait avec moi comme un père avec son fils. Ou devrais-je dire : comme un chef avec son futur successeur ? Qu'avait-il derrière la tête lorsqu'il me prenait à part et me montrait la troupe rassemblée autour des flammes – « Regarde-les, soufflait-il alors. Regarde-les, Mosquito... Je ne peux pas les abandonner ! » Et pour un bref instant, son regard reflétait quelque chose d'autre qu'une habituelle et implacable dureté. Quelque chose qui ressemblait à de la tendresse. Celle du berger pour son troupeau. Celle du patriarche pour sa famille.

Qu'essayait-il de me transmettre ? Qu'attendait-il de moi ? Oui, c'est vrai, j'ai eu parfois la prétention de croire qu'il m'avait élu parmi toutes ses brebis égarées, parmi tous ses enfants adoptifs, qu'il m'avait choisi pour prendre sa relève.

Peut-être la trahison de Miguel l'avait-elle marqué beaucoup plus profondément qu'il ne le laissait paraître. Peut-être que sa foi et sa rage commençaient à s'émousser. Peut-être était-il las, tout simplement. Fatigué. Bandit n'avait pas cessé de se battre depuis sa naissance. Cela faisait des lustres que la lourde charge de chef, de guide, de tuteur, pesait sur ses épaules. Peut-être aspirait-il à se retirer enfin au fond d'un antre solitaire – où un jeune sot ignorant aurait découvert ses os, bien des années plus tard, et les aurait pris pour ceux d'un lynx ou d'un puma.

Mais avant de faire retraite il lui fallait désigner son dauphin. Quelqu'un qui aurait assez de mérite pour se mesurer à lui, et le vaincre. Et quelle méthode plus sûre pour Bandit que de le façonner de ses propres mains ?

Prends ce couteau. Prends ce fusil. Prends ma force et mon courage. Prends ma ruse et ma cruauté. Prends ces hommes, ces femmes, ces chevaux, prends l'espace et le temps, et fais-en bon usage. Prends tout cela en héritage, Mosquito. Et en échange, délivre-moi !

Est-ce que c'était ça, le message caché ?

Bandit était sans doute le seul à envisager l'avenir. Mon esprit s'y refusait. Mes pensées ne me transportaient pas au-delà de la prochaine lune. Le présent et rien d'autre. Je goûtais pleinement la saveur de chaque instant, qu'elle fût douce ou amère. J'en tirais toute la substance, toute la richesse, toute la misère.

Je suis aujourd'hui convaincu que cette prétendue insouciance de la jeunesse est en réalité une forme de sagesse déguisée, intuitive. Nous savons sans le savoir combien bonheur et malheur sont choses précaires. Nous savons que demain comme hier ne sont que des mots, bornes abstraites, des repères pour ceux qui craignent de se perdre. Nous venons de nulle part et nous y retournons, et seul compte le chemin entre les deux. Je ne suis pas le premier à énoncer cette vérité.

Il n'y a que toi, Paloma, que j'aurais pu craindre de perdre en ce temps-là.

Profiter. Vivre. S'immerger tout entier dans la vie au moment où elle s'écoule. C'est ce que j'ai fait et je ne le regrette pas. Car nul, pas même Bandit, n'aurait pu prévoir la tournure des événements.

Personne n'aurait pu imaginer comment tout cela allait finir.

Je ne comptais plus les jours. Je ne nommais plus les mois. Je sais seulement que c'est au cours du quatrième hiver que la baronne Ernesta von Singer commença à tousser.

Rapidement, les quintes augmentèrent en volume et en nombre. Une toux rauque, explosant dans les abysses de son corps comme des charges de dynamite au fond d'une mine, et qui secouait l'énorme masse de sa poitrine, qui semblait vouloir lui arracher la gorge en passant. On aurait dit que ses poumons n'étaient plus qu'un tas de gravats qu'elle était forcée d'expulser, pelletée après pelletée. Ce bruit ponctuait nos nuits, éclatant sous la voûte du ciel étoilé, fendillant ses parois aussi claires, transparentes et froides que du verre. Il effrayait les engoulevents. Quand il résonnait la journée, sur le chariot, il faisait baisser les oreilles aux chevaux.

La baronne ne se plaignait pas. Des cernes apparurent sous ses yeux et se creusèrent au fur et à mesure. Deux niches aux reflets bleutés qui accentuaient sa pâleur de porcelaine. Son délicat visage de poupée s'émaciait à vue d'œil. Nous n'en parlions pas, comme si le seul fait de ne pas évoquer le mal pouvait le faire reculer. Mais elle avait beau prendre sur elle, peu à peu ses forces s'amenuisaient. Je ne pouvais m'empêcher de remarquer la faiblesse croissante de ses gestes, leur lenteur ; de jour en jour les chaudrons, les marmites, les poêles se firent plus lourdes au bout de ses bras et j'en vins de plus en plus souvent à lui suggérer : « Laissez ça, baronne. Je m'en charge. »

Elle grogna. Elle soupira. Puis elle abdiqua. J'ignore quelle était la nature exacte de ce dont elle souffrait – une pneumonie ou quelque chose dans ce genre, je présume –, mais cela ne faisait qu'empirer. Moins d'une semaine après avoir rendu son tablier de cuisinière, elle dut céder les rennes du chariot à Santa Magdalena.

Et puis le soir arriva où la baronne nous dit : « Cette fois, mes p'tits gars, j'irai pas plus loin… » Sa voix plus éraillée que jamais. J'eus l'impression que les mots s'effritaient, tombaient en poussière sitôt sortis de sa bouche. Nous l'aidâmes à s'allonger près du feu. Son front était brûlant.

Aucun des membres de la troupe ne dormit cette nuit-là. Les uns restaient assis, dos voûté, une couverture jetée sur leurs épaules ; les autres allaient et venaient silencieusement autour des flammes. Âmes en peine. Sans doute chacun ressentait-il avec plus d'acuité qu'à l'ordinaire sa propre solitude, son propre dénuement.

La baronne passa par différents états au cours des heures qui suivirent. Parfois assoupie, paupières closes, un voile tranquille sur sa face. Quelques minutes de répit qui instillaient en nous une fragile lueur d'espoir. Jusqu'à ce qu'un terrible accès de toux pulvérise tout ça. Les secousses brinquebalaient le corps d'Ernesta, le soulevaient littéralement de terre avant de le laisser chuter sans ménagement ; des larmes giclaient sur son visage tout tordu et froissé de grimaces, et sa bouche grande ouverte cherchait l'air, l'aspirait, le happait, cet air qui se faisait si rare et qui ressortait de ses bronches dans un sinistre sifflement. Tornades dévastatrices. C'était pitié que de voir cette force de la nature ainsi terrassée.

Quand ce n'était pas la fièvre, c'était le froid qui s'emparait d'elle. Un assaut aussi brutal qu'intense. La baronne frissonnait. Elle grelottait. Ses dents claquaient. Alors Paloma remontait les couvertures jusque sous son menton, essuyait avec un mouchoir la sueur glacée qui inondait son front. Je rajoutais frénétiquement du bois dans les flammes. En vain. Mais que faire d'autre ?

Nous n'avons pas quitté son chevet, Paloma et moi. Spectateurs impuissants. Régulièrement, le Muet apportait une décoction qu'il avait préparée avec différentes sortes de plantes. Je soutenais la tête de la baronne tandis que Paloma lui glissait doucement la timbale entre les lèvres, tentant de lui faire avaler une ou deux gorgées du breuvage. Nous aurions tous aimé que ce fût un élixir miracle.

L'agonie se prolongeait. Au plus fort de la fièvre, la baronne se mit à délirer. Des flots de mots jaillirent de sa bouche, dont je ne saurais dire s'ils avaient un sens, car ils étaient tous exprimés dans cette langue germanique que je ne maîtrisais pas. Sa langue maternelle. Je songeais que c'était certainement sa dernière chance de revoir, au moins en pensée, les terres lointaines de son enfance. Ce soir, elle pouvait à nouveau embrasser du regard les champs immenses et verdoyants, les étangs, les prés, elle pouvait fouler ce sol qui l'avait vue naître et qu'une histoire d'amour et de mort l'avait forcée à quitter. Elle pouvait voir s'étendre l'ombre de la Forêt-Noire.

Nous crûmes que la fin était venue, mais, après avoir atteint son paroxysme, d'un seul coup la crise s'arrêta. La baronne se tut et toute agitation cessa. Lorsqu'elle rouvrit les paupières, ses yeux clairs avaient recouvré leur lucidité. Paloma et moi étions penchés sur elle, chacun d'un côté. Elle nous considéra un instant, l'un, puis l'autre, puis saisit à chacun une main qu'elle serra faiblement entre les siennes.

— Le p'tit prince et la princesse… Vous êtes beaux, tous les deux. Faut pas abîmer ça…

Ce n'était qu'un murmure, mais parfaitement compréhensible. Elle ne délirait plus. Comme le Muet arrivait avec une nouvelle tasse remplie de liquide fumant, la baronne lui souffla :

— Nom d'un chien, épargne-moi cette pisse de mulet, j'ai pas besoin d'ça pour crever !

Je crois que ce fut la seule et unique fois où je vis un sourire sur les lèvres du Muet. Un sourire qui valait toutes les larmes du monde.

Puis la baronne se tourna vers moi.

— Va plutôt me chercher la boîte, Mosquito. Ma p'tite boîte à trésor. Je crois que tu sais où elle se trouve…

Le clin d'œil qu'elle s'efforça de me lancer ressemblait à l'ultime battement d'ailes d'un papillon. Je piquai un fard, ouvris la bouche pour protester de mon innocence, mais me ravisai. La moindre seconde avait maintenant trop de prix pour être gaspillée en futiles dénégations. Sans un mot je me levai et me précipitai jusqu'au chariot.

Nous étions aux prémices de l'aube. À l'est, le ciel pâlissait. Quelques étoiles scintillaient encore dans les profondeurs du cosmos tandis qu'un quart de lune, derrière son halo trouble, s'en retournait vers d'autres horizons.

Au retour, je traversai un camp peuplé de tristes vagabonds. On n'entendait que le grésillement du feu, les craquements secs de l'écorce qui cède sous la morsure des flammes. Je m'agenouillai et posai le coffret près de la baronne. Pendant un instant elle en caressa le bois poli du bout des doigts, puis l'ouvrit. Elle s'empara d'abord de la bague, qu'elle porta devant son nez comme si elle allait en humer le parfum. Fleur particulière, au cœur de diamant, aux pétales de rubis. Les pierres luisaient sous le regard d'Ernesta. Elle contempla un moment ces reflets chatoyants, puis passa l'anneau d'or fin à son doigt, comme sans doute son fiancé l'avait fait la première fois, bien des années auparavant. Malgré le temps écoulé, le bijou retrouva sa place sans difficulté.

Après quoi la baronne piocha à nouveau dans le coffret, pour en ressortir la montre. Chaque geste lui coûtait. Chaque mouvement semblait ne tenir qu'à un fil – auquel nous étions tous suspendus, Paloma, moi, l'ensemble de la troupe et la Terre entière avec nous. Le monde en suspens, retenant son souffle. Du gras du pouce, Ernesta effleura les initiales entrelacées, gravées sur le couvercle. Puis elle souleva celui-ci. Le mécanisme se déclencha et les notes de musique, légères, cristallines, s'égrenèrent dans la nuit finissante.

Un petit air de valse.

La baronne contempla longtemps la photo en médaillon. Cette jeune fille qu'elle avait été, aimée et aimante. Puis elle posa la montre en équilibre sur son ventre. Tandis que la mélodie continuait à se dérouler, elle prit la lettre au fond de la boîte et me la tendit.

— Lis-la-moi, souffla-t-elle.

Pris au dépourvu, je demeurai stupidement immobile. Ce n'était même pas de l'hésitation de ma part, plutôt une brusque sensation de panique, semblable à celle qu'on peut éprouver en découvrant que la seule issue possible, au sommet d'une falaise, c'est le vide.

Je savais que cette lettre contenait les derniers mots que son amoureux lui avait adressés. Je savais aussi qu'Ernesta n'avait encore jamais pu en connaître la teneur. Le poids de cette responsabilité me paralysait.

— S'il te plaît, mon p'tit prince... insista-t-elle dans un murmure.

Je me tournai alors vers Paloma, en quête d'une solution, ou pour le moins d'un peu de soutien. Mais tout ce qu'elle m'offrit fut un unique battement de cils, dont la signification ne présentait aucun doute : fais-le !

Je fixai encore un instant la feuille de papier entre les doigts de la baronne. Puis j'avançai une main tremblante et m'en saisis. Je dépliai lentement la lettre. Dans la faible et grise clarté de l'aurore c'est à peine si je pouvais distinguer les lignes finement tracées. Mais qu'importe, puisque j'étais de toute façon incapable de déchiffrer cette langue.

Faisant appel à tous les souvenirs que la baronne avait évoqués devant moi, je me penchai sur la feuille, puis me lançai :

« *Ma très chère et tendre Ernesta,*

Lorsque tu liras ces mots, je serai probablement déjà parti. Pardonne-moi, mais tu sais qu'on ne me laisse guère le choix. Je ne peux pas vivre sans toi. C'est pourquoi je fuis ce monde pour un monde meilleur. Un monde plus beau, plus juste, où il est permis d'aimer l'être que son cœur a élu, et non la raison. Un monde où seul l'amour fait loi, sans frontière ni barrière d'aucune sorte. Ici, hélas, on nous tient prisonniers. Là-bas, nous serons libres... »

Je marquai une pause et jetai un œil à la baronne. Elle avait l'air paisible. La masse de ses cheveux lui faisait comme un épais coussin doré, sur lequel reposait son pâle visage. Je cherchai encore une fois le regard de Paloma. Je le trouvai, fixé sur moi, d'une incroyable intensité. Paloma ne dit rien. Elle ne fit pas un signe. Elle attendait la suite.

Je déglutis et repris ma pseudo-lecture :

« *Je veux que tu saches que mes plus belles heures, c'est à toi que je les dois... Et je veux que tu saches que ce n'est pas fini. Car ceci n'est pas un adieu. Crois-moi. Je ne fais que te précéder, ma douce Ernesta. J'ouvre la voie. Je t'attends. Je sais qu'un jour nous serons à nouveau réunis, et ce jour-là ta place sera chaude à mes côtés. Mais ne te presse pas, je t'en prie. N'oublie pas que j'ai tout mon temps à présent, et que dans cet autre monde, c'est l'éternité qui nous tend les bras. Notre amour sera libre, et notre amour sera éternel...* »

Ma vue se brouilla d'un coup. Les larmes emplissaient mes paupières et je ne discernais plus de la lettre qu'une vague tache claire au bout de mon bras. Je poursuivis malgré tout :

« *Je ne te quitte pas. Non. Je t'emporte tout entière dans mon cœur, et mes pensées, partout et toujours, t'accompagnent. Que cela te permette de garder espoir et courage. Je pars en éclaireur. On se retrouvera, je t'en fais la promesse. Et alors, rien ni personne ne pourra plus nous séparer. Rien ni personne. C'est donc un tendre et affectueux au revoir que je te dis. Sachant que la prochaine valse t'est à jamais réservée.*

Ton Dieter qui t'aime. »

Ma voix se brisa. Le soleil apparut au rebord de l'horizon. Un nouveau jour naissait. Madame la baronne Ernesta von Singer avait les yeux ouverts, tournés vers le ciel au-dessus d'elle. Ce n'était pas la fièvre qui les faisait briller. Un semblant de sourire flottait sur sa figure de poupée. Son ventre avait cessé de se soulever au rythme de son souffle. Mais la montre, posée dessus, laissait encore entendre sa discrète mélodie. Sa berceuse. Sa valse lente. Comme naguère dans une cabane de chasseurs au bord d'un étang. Les aiguilles sur le cadran indiquaient cinq heures pile. L'heure habituelle du rendez-vous.

Et il me plaît d'imaginer qu'à cet instant une blonde jeune fille dansait, quelque part dans l'univers, à des années-lumière, dans les bras de son fiancé.

20

Les plus grandes richesses sont des bijoux de pacotille

Du haut de la pyramide des ans, je peux dire aujourd'hui que cet événement marqua le début de notre fin.

Une sale pierre blanche. Un monumental rocher, en vérité. Qui tomba des nues tel un météore et s'écrasa sur notre route. Qui fissura le sol sous nos pas. Et la fissure s'élargissant deviendrait faille, ravin, gouffre béant par lequel s'écouleraient peu à peu notre sang et notre moelle, et toutes nos forces vives. Jusqu'à ce que l'ensemble de la troupe se retrouve englouti au fond de ce vide. Dans ce néant. Dans cette absence.

La baronne était morte. Mais c'est nous tous qui allions être enterrés.

Certains signes n'auraient pas dû tromper. J'avais vu les larmes ruisseler sur les joues de Tuvio. Le colosse à genoux près de la fosse, pleurant et mouchant comme un enfant abandonné. Une plainte sourdait de sa gorge, une sorte de gémissement qui n'était pas plus humain ni moins déchirant que celui que poussait en même temps Sox le chien ou celui que Virgile tirait de sa guitare désaccordée. J'avais vu Santa

Magdalena briser les perles de son chapelet à les serrer trop fort entre ses doigts. J'ignore si les prières qu'elle psalmodiait étaient vraies ou fausses, j'ignore si elle implorait le Seigneur ou si elle Le maudissait. Le Muet restait muet et il n'était pas le seul. Des gorges nouées, des gueules ravagées, le poids du deuil qui fait ployer les épaules et la nuque : j'avais vu tout ça.

Le sort avait désigné Artemio Xeres pour combler la fosse. Il jurait dans sa barbe en maniant la pelle. La terre était dure, à moitié gelée. La baronne portait sa robe rouge de danseuse de flamenco. Près de son corps était disposé le coffret contenant la lettre et la montre. Elle emportait avec elle son trésor.

Paloma avait planté sur la tombe une planche de bois sur laquelle était gravé de sa main ce simple prénom : *Ernesta.*

Ainsi, l'agonie de la baronne avait pris fin. La nôtre commençait.

Dans les premiers temps de ma captivité, quand je ne savais pas encore que mes parents avaient succombé lors de l'attaque de notre diligence, j'espérais de tout mon cœur que mon père viendrait me délivrer. Qu'il surgirait un beau matin à la tête d'une armée de soldats pour m'arracher aux griffes de mes ravisseurs. L'ironie, l'amère ironie du destin, veut que cela soit à peu près ce qui arriva.

Bien entendu, entre-temps, les choses avaient changé. Je ne me considérais plus comme prisonnier. J'avais eu l'occasion de choisir mon camp, et c'est ce que j'avais fait. Désormais, ma vie était là, aux côtés de Paloma, de Bandit, du Muet et de tous les autres. Ils m'avaient adopté. Je m'étais attaché à eux. Au bout de toutes ces années, j'avais fini par les connaître et les comprendre, par les respecter. Par les aimer, oui.

Et puis, ma « délivrance » – forcée, pour le coup – ne fut pas l'œuvre de mon pauvre père en personne, mais celle de l'un des hommes qui lui succédèrent à son poste. À savoir : le dernier gouverneur en date de la région.

Celui-ci se faisait fort de débarrasser le pays des voleurs, brigands et hors-la-loi de toutes sortes qui l'infestaient. Hélas, comme c'est souvent le cas avec les hommes au pouvoir, il ne s'attaqua pas aux causes du mal, mais uniquement à ses conséquences. Il ne chercha pas à en éradiquer les racines, profondes et souterraines, mais simplement les épines, les fleurs vénéneuses qui poussaient à la surface. Bref, au lieu de mener combat contre les véritables ennemis du peuple, qui sont la pauvreté, la misère et l'injustice, il préféra s'acharner contre ceux que ces fléaux mêmes engendraient. Les insoumis, les rebelles, les révoltés : voilà l'engeance qu'il s'était juré d'éliminer. Coûte que coûte.

La fin, dit-on, justifie les moyens. Le nouveau gouverneur employa les plus grands. Pas question de lésiner ! En parfait petit tyran, il sut user de ces méthodes vieilles comme le monde et maintes fois éprouvées : la force et la terreur. La totalité des troupes régulières de l'armée fut mobilisée pour cette vaste opération. Les soldats se déployèrent. Ils sillonnèrent le territoire, le passèrent au peigne fin. Ils étaient partout, dans les villes et dans les champs, dans les montagnes et les déserts. Ils investissaient le moindre village. Fusil en avant, ils entraient dans les maisons et les fouillaient sans vergogne, renversaient les tables, soulevaient les lits, exploraient les cours et arrière-cours, les granges, les greniers, les étables. Tout ce qui ressemblait de près ou de loin à un malheureux voleur de pommes était emprisonné, quand encore il n'était pas pendu sur-le-champ. Ils promettaient le même sort à quiconque viendrait en aide aux rebelles qu'ils pourchassaient. Ils promettaient de l'or à ceux qui les dénonceraient. Ils interrogeaient, intimidaient, menaçaient, et n'hésitaient pas, au besoin, à pratiquer la torture pour extorquer renseignements et aveux. Délation et corruption, sévices et exactions : tout était bon pour parvenir à leurs fins.

Et dire que nous étions censés être les méchants !

Mais les soldats agissaient sous couvert de la loi. En toute impunité. De plus, leurs effectifs furent très vite renforcés par des sortes de milices privées, composées de divers mercenaires. Ces sinistres individus étaient recrutés et grassement rémunérés par les grandes compagnies du pays, telle la Compagnie minière, à l'ouest, ou la Compagnie des chemins de fer, au nord. Les dirigeants de ces sociétés s'étaient alliés au gouverneur. Ils avaient tout intérêt à étouffer la plus petite étincelle de révolte et à faire régner l'ordre. Pourquoi ? Pour pouvoir continuer tranquillement à exploiter la terre et les pauvres bougres, hommes, femmes et enfants, qui travaillaient pour eux et qu'ils traitaient en esclaves. Leur seul et unique but, inavoué, était de continuer à s'enrichir en paix sur le dos courbé du peuple.

Bandit et sa troupe n'étaient pas des enfants de chœur, loin s'en faut, mais au moins ne faisaient-ils pas preuve d'autant de cynisme et d'hypocrisie.

Soldats, chasseurs de têtes, tueurs à gages : la meute entière fut lancée à nos trousses. De prédateurs, nous devînmes proies. En quelques semaines, les autres bandes qui écumaient la région, moins prudentes, moins expérimentées que la nôtre, furent littéralement décimées. C'était une période où les potences poussaient plus vite que les cactus ; où les charognards engraissaient à vue d'œil.

Nous résistâmes deux ans. Presque un miracle si l'on considère les forces en présence. Depuis la nomination du nouveau gouverneur, nous n'avions pas connu une journée de répit. Plus que jamais nous devions faire preuve de cette mobilité qui était notre meilleur atout. Bouger. Bouger sans cesse. Les Kraore, incomparables pisteurs, nous furent d'un grand secours. Leurs visites se firent quasi quotidiennes – ce qui signifiait, malheureusement, que les dangers se multipliaient dans les mêmes proportions. Sans eux, nous n'aurions pas tenu un an. Sans Bandit à notre tête, nous n'aurions pas tenu six mois. Outre sa ruse et sa science, il se montra également d'une audace extrême. Contre-attaques, pièges, embuscades : il frappait là où on ne l'attendait pas, et ses coups, d'une folle témérité, désarçonnaient l'adversaire.

Mais cela ne suffisait pas. Si nous remportions quelques batailles, nous y laissions malgré tout des plumes, nous aussi. Un à un, les hommes tombèrent sous les balles. Octavio, Javier, Magdalena. Artemio le revenant, qui ne revint pas. Et la blonde Lucia. Et Salpajo. Et Cruz… La liste s'étoffait à mesure que nos rangs se clairsemaient. Impossible de remplacer les absents par de nouvelles recrues. La population avait peur. Les gens se terraient chez eux sans oser lever le petit doigt, de crainte des représailles des soldats.

Pour les mêmes raisons, il devenait de plus en plus difficile de nous ravitailler. Les portes des villages nous étant fermées, nous ne pouvions compter que sur nous-mêmes. Lorsque la chasse se révélait infructueuse, nous devions nous contenter d'un frugal brouet de racines et de plantes que, par bonheur, le Muet savait dénicher. La nourriture se faisait rare. Autant que les bouches à nourrir.

Au bout de ces deux terribles années, la troupe ne comptait plus qu'une douzaine de rescapés. Les derniers fidèles. Maigres, affamés, hirsutes, dans un dépouillement total. Et de plus en plus isolés. À quoi ressemblait-on, sinon à une poignée de naufragés dérivant sur un radeau à travers l'immensité de l'océan ? Notre mer à nous était faite de sable et de rocaille et de poussière. Le soleil crachait de nouveau son implacable lumière. Les flots étaient jaunes, l'écume aveuglante. Et tout autour de nous des bancs entiers de requins, assoiffés de sang, bardés de colts et de Winchesters, se rapprochaient inexorablement.

Il était évident que nous arrivions au bout du voyage.

Mais Bandit n'était pas homme à attendre que la mort vînt le cueillir. Il préféra aller à sa rencontre. La défier. La provoquer. C'est ainsi qu'un soir, à la clarté de la lune, il nous exposa son ultime projet.

C'était un coup d'éclat. Une tentative désespérée. De la folie pure. Quelque chose qui n'était pas sans rappeler le dernier sursaut du condamné. Même si ce n'est pas de cette façon que Bandit nous le présenta, je crois que personne ne fut dupe.

L'idée consistait tout bonnement à aller frapper l'ennemi en plein cœur. Là où ça ferait le plus mal. C'est-à-dire : à Fort Milagro.

Dans l'enceinte de ce fort était entreposée la majeure partie du trésor de l'État. Une fortune colossale, à laquelle était venue s'ajouter dernièrement la dîme, non négligeable, des grandes compagnies alliées. De l'or. Des tonnes et des tonnes d'or qui servaient pour l'essentiel à financer cette vaste campagne lancée contre nous. Le nerf de la guerre.

Comme on peut s'en douter, Fort Milagro était l'endroit le mieux gardé du pays. Une garnison de cinq cents hommes au bas mot en surveillait l'accès en permanence. Un demi-millier de soldats armés jusqu'aux dents contre une douzaine d'épouvantails décharnés : quelles étaient nos chances objectives de réussite ?

Ce soir-là, pendant que Bandit exposait son plan, je me pris à observer les visages réunis autour de lui. Je les trouvai calmes, étrangement sereins. Les regards, surtout, en disaient long. Ils étaient sans illusions, sans tristesse non plus, comme détachés de tout. Peut-être le regard de ceux qui ont déjà entamé la grande traversée.

Non, décidément, aucun des membres de la troupe ne se leurrait : dans le fond, ce que nous proposait Bandit n'était pas autre chose que de mourir en beauté.

En acceptant de se lancer dans cette entreprise insensée, on savait à quoi s'en tenir. Le chef ne chercha pas à en minimiser les risques. Il alla même jusqu'à tendre une perche à ceux qui auraient pu être tentés de refuser. Il ne leur en serait pas tenu rigueur. Ce n'était plus une question de courage ou de lâcheté. Nous avions dépassé ça. C'était autre chose. Bandit laissait à chacun la liberté de choisir, en son âme et conscience.

Tous, sans exception, acceptèrent.

Il nous fallut une semaine pour nous rapprocher de notre cible. Milagro se situait aux confins du Ventre du Diable. Il en était la dernière construction, il en marquait la frontière. Au-delà s'étendait ce que l'on appelait la vallée de la Luna. La terre des volcans. Une zone où nul, jamais, ne s'aventurait. Pas même nous.

La veille du grand jour, nous établîmes le camp à quelques kilomètres du fort. Les consignes étaient strictes : pas de feu, pas de bruit. La nuit était claire. Nous passâmes un long moment, Paloma et moi, à soigner les chevaux. Eux aussi avaient rudement souffert au cours de ces derniers mois. Paloma prit le temps de murmurer quelques mots à l'oreille de chacun, dans ce langage qu'ils comprenaient. Après quoi elle s'éloigna et, durant quelques minutes, je la perdis de vue.

Lorsqu'elle réapparut, je me trouvais toujours au milieu du cheptel. Paloma vint me rejoindre. Elle se tint un instant face à moi, en silence. Puis elle me saisit la main. Elle déplia lentement mes doigts et déposa un objet dans le creux de ma paume. Quelque chose de si léger que c'est à peine si je m'en rendis compte.

C'était son bracelet. Le bracelet, constitué de minuscules dents de rongeur, qui ceignait habituellement sa cheville. Je ne l'avais jamais vue s'en séparer.

Dès que j'eus reconnu l'objet, un mauvais frisson me parcourut. Je sentis mes jambes fléchir sous mon poids. Mon regard allait et venait de Paloma au bracelet, du bracelet à Paloma. Puis je finis par balbutier :

— Que… qu'est-ce que…

— C'est tout ce que je possède. Prends-le.

— Mais… mais pourquoi ?

— En souvenir, dit Paloma.

Je fermai les yeux. Tout à coup les étoiles disparurent. Tout à coup la nuit était d'un noir d'encre. Je ne comprenais que trop bien la signification de son geste ; ce que cette offrande laissait présager. Mais je le refusais. Incapable de prononcer un mot, je secouai frénétiquement la tête pour dire non.

— Aussi longtemps que tu le garderas, reprit Paloma, je serai là. Avec toi.

Je me mordis les lèvres pour faire cesser leur tremblement. Malgré moi, mon poing s'était refermé sur le bracelet. Et le serrait. Le broyait. Les petites dents imprimaient ma chair.

Je rouvris les paupières, juste le temps de me jeter contre Paloma. Je la serrai de toutes mes forces entre mes bras, comme si j'espérais la graver, elle aussi, tout entière dans ma chair et mes os.

— Pas ça… soufflai-je. Pas ça… On s'en sortira, tu verras, je te le promets ! On va réussir !

Elle ne répondit pas. J'enfouis encore plus profondément mon visage dans la masse de ses cheveux. C'était tiède et soyeux. Mes yeux coulaient. Mon nez coulait. Paloma me caressait la nuque. Ce n'est qu'au bout d'un très long moment, le temps, peut-être, de bien peser ses mots, qu'elle finit par dire :

— On a déjà réussi, Mosquito.

21

Et tout n'est peut-être que fumerolles

Nous partîmes bien avant le lever du jour, et nul ne prononça une parole durant le trajet. À l'image des Kraore, nous n'étions que des ombres dans l'ombre. Silencieux. Invisibles. Notre allure se réduisit à mesure que nous nous rapprochions du but. Passant du galop au trot, puis au pas. Au bout d'un moment, nous nous engageâmes dans le lit qu'un fleuve avait creusé au cours d'une autre ère. Depuis longtemps les dieux ne versaient plus de larmes sur le sort de ce pays, et le lit était à sec. Néanmoins, les hautes berges de chaque côté nous rendaient plus difficilement repérables. Nous avancions en colonne, deux par deux. Paloma chevauchait à ma gauche. Souvent je tournais la tête, cherchant son regard. Mais elle fixait obstinément un point devant elle. J'avais peur, et j'avais froid malgré la chaleur qui déjà commençait à monter du sol.

Nous suivîmes les méandres de l'ancien cours d'eau jusqu'à ce que Bandit lève la main. La troupe fit halte. Nous y étions.

À deux cents mètres environ se dressait l'austère silhouette de Fort Milagro. C'était un vaste quadrilatère, trapu, massif. Des flammes de torchères s'élevaient de-ci de-là derrière les murs de pierre. Aucun bruit. Aucun mouvement. À croire que les occupants avaient déserté les lieux.

Mais la bête n'était qu'assoupie.

Nous restâmes un moment à l'observer, du fond de notre ravin. Si mes compagnons ressentaient eux aussi de la peur, ils n'en laissaient rien paraître. La plupart affichaient un air grave, déterminé. Enrique le borgne mâchait sa chique en souriant. Je ne parvenais toujours pas à saisir le regard de Paloma.

Bandit fit pivoter sa monture face à nous et nous toisa l'un après l'autre. Au terme de cet examen, je crus qu'il allait parler, mais il se contenta d'adresser un bref signe de tête à Félicia la danseuse. Sans doute qu'il n'y avait rien à ajouter.

Félicia savait ce qu'elle avait à faire. Elle glissa un poignard dans la tige de sa botte, puis elle talonna son cheval. L'animal la hissa sur la berge et tous deux s'éloignèrent droit en direction du fort. Le terrain était plat, totalement à découvert. Félicia maintenait sa monture au petit trot. Quand elle fut à une centaine de mètres de la forteresse, elle se mit à crier.

— À l'aide ! À l'aide ! S'il vous plaît…

C'était à mi-chemin entre un appel de détresse et un râle de souffrance. Au milieu de tout ce silence, sa voix semblait monter des profondeurs d'un gouffre. Elle continua sur ce mode. Son corps vacillait sur la selle, de plus en plus, tandis que s'amenuisait la distance qui la séparait du fort. Nous perçûmes alors un début d'agitation par-delà l'enceinte. Instinctivement, nous baissâmes la tête et chacun se tapit sur le dos de sa bête. Mon cœur commença à s'emballer. Là-bas, les silhouettes des sentinelles se détachèrent à la crête des murs. Et soudain, l'une d'elles hurla :

— Qui va là ?

Félicia poursuivit sa comédie. Lamentations, appels désespérés. Parvenue à vingt ou trente pas de l'entrée, elle flancha et se laissa tomber au sol en geignant de plus belle. Un bras levé, telle une agonisante, elle gémit encore :

— Par pitié, aidez-moi !... Ouvrez...

Il y eut un moment de flottement. Des bribes de voix. Les gardes devaient parlementer entre eux, s'interroger, hésiter. Je songeai que s'ils n'ouvraient pas, tout était fichu. Puis, deux secondes après, je songeai que s'ils ouvraient, tout était fichu.

Une à une de nouvelles lueurs apparaissaient à l'intérieur de la forteresse. On allumait des lampes, des torches. L'attente devenait de plus en plus pénible. Les râles de Félicia me vrillaient les nerfs. Puisqu'on ne pouvait plus reculer, autant foncer – qu'on en finisse, nom de nom !

Comme pour obéir à mes muettes injonctions, les lourdes portes s'ouvrirent à cet instant. Deux soldats les franchirent. L'un portait une lampe-tempête qu'il tendait devant lui à bout de bras, l'autre avait un fusil à hauteur de hanche. Tout en jetant de furtifs regards autour d'eux, ils trottinèrent jusqu'à l'endroit où gisait Félicia. La lampe se balançait, et cette lueur falote me rappelait le vol incertain d'une grosse luciole égarée dans la nuit.

Tout se passa très vite.

Je vis les deux hommes se pencher sur le corps de la danseuse. Je vis, ou crus voir, le scintillement éclair d'une lame d'acier. Puis les soldats s'affaissèrent sans bruit, comme des marionnettes délestées de leurs fils. La lampe tomba et roula sur le sol sans se briser. Félicia, elle, était déjà sur pied. Elle tendit le cou et poussa un nouveau cri qui fit se hérisser chaque grain de ma peau. Ce n'était plus une plainte ni un appel au secours ; c'était le formidable cri de guerre de la troupe, auquel fit immédiatement écho celui de Tuvio.

— Arrrrriba !

Le colosse n'avait pas refermé la bouche que tous se ruaient hors de la fosse. L'air vibra autour de moi. La terre trembla. Sans même se retourner, Paloma attrapa ma main et je sentis toute la force et le courage, tout l'espoir et tout l'amour qu'elle voulait me transmettre par la seule pression de ses doigts sur les miens.

Cela ne dura qu'une fraction de seconde. Après quoi Paloma planta ses talons dans les flancs de son cheval et la bête se jeta en avant. Pendant une autre fraction de seconde, sa silhouette se dressa au sommet du monticule, me bouchant la vue du ciel et des étoiles. Puis elle disparut.

Alors, sans plus hésiter je frappai à mon tour les côtes de ma monture.

Certes, l'effet de surprise jouait en notre faveur, mais il fut de courte durée. Lorsque j'émergeai du lit du fleuve, les premiers coups de feu éclatèrent. Fugaces flamboiements qui se succédaient au sommet du mur d'enceinte, comme une couronne clignotante ceignant la forteresse. Le gros de la troupe avait presque rejoint Félicia, et cette horde lancée au triple galop se dirigeait vers l'entrée du fort. Les immenses battants étaient déjà en train de se refermer. Félicia arriva juste à temps. Son cheval se cabra et les sabots de l'animal percutèrent la porte de plein fouet. Fer contre fer. Le bruit se détacha distinctement au milieu des détonations. Les autres déboulèrent en renfort. À eux tous, ils réussirent à repousser les deux panneaux, qui s'ouvrirent en grand. Et je les vis bientôt s'engouffrer dans la gueule béante du loup.

Notre stratagème avait fonctionné.

Mais le « plan » s'arrêtait là. C'est dire à quel point nous ne nous faisions guère d'illusions. Pénétrer à l'intérieur du fort, oui. Et après ? Avions-nous réellement prévu d'en ressortir ? La suite des opérations était restée très floue : faire main basse sur l'or, passer la frontière, reprendre des forces, rebâtir une troupe digne de ce nom avant de retourner au combat… On aurait dit que Bandit nous racontait un rêve qu'il aurait fait. C'était beau, mais qui croyait à ça ?

Pourtant, durant ma rapide traversée de l'esplanade au galop, je fus envahi par une intense sensation de puissance et de liberté. Mon cheval ne touchait pas terre. L'air me fouettait le visage et gonflait ma poitrine. Je flottais. Comme dans un rêve, oui, comme dans un rêve.

La réalité me rattrapa sitôt que j'eus franchi le mur d'enceinte.

Il n'y a pas de beaux combats, aussi désespérés soient-ils. Il n'y a pas de vainqueurs non plus. Au bout du compte, ce qu'il en ressort, c'est de la souffrance et de la culpabilité, et le sentiment d'un absurde et irrémédiable gâchis. C'est l'enfer qui brûle en nous. Pour toujours.

La bataille de Fort Milagro…

Le chaos régnait déjà dans la grande cour intérieure quand j'y pénétrai. Des silhouettes couraient dans tous les sens. Hommes et bêtes mêlés. Des cris fusaient, de terreur, de douleur, de rage. Des flammes jaillissaient. Des ombres rampaient sur le sol et les murs, mouvantes, difformes, pareilles à d'invraisemblables créatures issues d'un peuple de l'au-delà. Et des corps bien réels tombaient, tout leur poids de chair et d'os s'écrasait dans la poussière. Les chevaux les piétinaient en renâclant, roulant les yeux, retroussant leurs babines dans un rictus de peur et de dégoût. Toujours plus nombreux, les soldats surgissaient de leurs baraquements. La réserve semblait inépuisable. La plupart étaient encore en sous-vêtements, les pieds nus, la figure bouffie de sommeil, brutalement arrachés à leurs cauchemars pour être projetés dans un cauchemar cent fois pire. Combien n'eurent même pas le temps de se pincer avant de se rendormir définitivement ?

Je ne pensais pas à la mort. Je cherchais Paloma. Je la cherchais et je ne la trouvais pas.

Soudain, il y eut une terrible déflagration. Une aile du bâtiment vola en éclats ; des hommes furent propulsés dans les airs tandis qu'une pluie de pierres et de flammèches s'abattait sur nos crânes. Le bruit m'avait bouché les tympans et pendant quelques instants je n'entendis plus que le son amplifié de ma propre respiration et les battements sourds du sang contre mes tempes.

L'explosion était l'œuvre de Tuvio. Je revois le géant, debout sur un tonneau, puisant à tour de bras dans sa fameuse sacoche et détruisant à lui seul la moitié du fort à coups de dynamite. Jusqu'à ce que le baril de poudre sur lequel il était juché s'enflamme à son tour et le transforme en torche vivante, en gigantesque oiseau de feu dont les ailes orange et jaune se déployèrent et s'agitèrent longtemps, sans qu'il parvînt pour autant à prendre son envol.

Je revois Rosa la rose au centre de la cohue, dansant une drôle de gigue avec trois soldats à la fois. Elle serrait fort leurs têtes dans l'étau de ses bras, contre sa poitrine, comme des nourrissons, comme ces enfants qu'elle n'aurait jamais. Il fallut qu'un quatrième lui plante son poignard entre les omoplates pour qu'elle se décide enfin à les lâcher.

Même acharnement chez Sox le chien. Lui aussi je le revois, le petit bâtard, rusé, hargneux, bondissant d'une cuisse à l'autre, d'un jarret à l'autre, et claquant du museau, asticotant, arrachant, les crocs luisants de salive et de sang, et quand il fut fauché, quand la bille d'acajou de son œil unique cessa de briller, ses mâchoires, elles, restèrent soudées au poignet d'un garde qui pesait trente fois son poids. Sox ne respirait plus mais il mordait encore.

Je les voyais, tous, et je les revois aujourd'hui comme tant et tant de fois depuis. Pourquoi les balles m'ont-elles épargné et pas eux ? Pourquoi ?

Le Muet mourut sans un mot. Mon ami le Muet. Sans un au revoir. Sans un adieu. Lui qui m'avait sauvé la vie. La sienne s'enfuit devant mes yeux sans que je pusse la retenir. Je revois sa grande et maigre carcasse étendue sur le ventre, ses bras en croix largement écartés comme s'il embrassait la Terre entière. Et les pieds crasseux, et les bottes de cuir qui le foulaient. C'est à ce moment-là que je me mis à hurler.

Une fois, deux fois, dix fois. Je hurlai à pleins poumons le nom de Paloma. Je la cherchais et ne la trouvais pas.

Dans tous les coins des incendies s'étaient déclarés. Une fumée noirâtre montait des brasiers, empuantissait l'air. La marée des combattants m'emportait dans sa furie, me bousculait, me ballottait ; et tout en luttant pour me maintenir en selle, je continuais de hurler son nom, la gorge en feu, les yeux en pleurs, mes cris noyés parmi les autres cris, parmi le fracas des armes, parmi le grondement des flammes et les hennissements des bêtes affolées… Et puis soudain :

— Mosquito !

Mon propre nom fusant par-dessus le vacarme. Je me souviens de cette folle bouffée de joie et d'espoir qui irradia ma poitrine. Je scrutai de nouveau la foule, passant sur chaque visage, sur chaque grimace figée dans la haine ou la stupeur. Paloma, où es-tu ?… Paloma… Paloma… Quand je finis par la repérer, mon cœur explosa. Une dizaine de pas nous séparait. Et des dizaines de corps. Paloma avait mis pied à terre. Elle tentait de se frayer un passage dans ma direction. Tantôt émergeant, tantôt engloutie et disparaissant à ma vue au milieu de cette houle déchaînée. Seigneur, comme elle me paraissait minuscule et si fragile tout à coup !

— Mosquito !

Sa voix transperça le tumulte pour la seconde fois. Je me ruai à sa rencontre en redoublant de coups de talons.

Ces quelques mètres furent les plus longs que j'eus jamais à franchir. Qui sait ce qu'eût été ma vie s'il m'avait fallu une ou deux secondes de moins pour les combler ? Qui sait ce que serait devenue mon existence tout entière ? À une ou deux secondes près…

Juste ce laps de temps infime qui manqua à Paloma pour saisir la main que je lui tendais.

Nous avions forcé le barrage. Elle était là devant moi. Essoufflée, en nage. Des mèches de cheveux collées à ses joues comme des algues brunes. Elle leva le bras tandis que je me penchais pour l'aider à se hisser sur mon cheval. Et c'est dans ce mouvement que d'un seul coup elle se figea. Tout son corps parfaitement immobile, à l'arrêt, son bras en l'air, sa main ouverte, son visage levé vers moi. Nos yeux se trouvèrent. Pas nos doigts. Durant ce court fragment d'éternité, ses iris, ses beaux iris noirs palpitèrent une dernière fois, comme le pouls de l'univers. Puis la vie déserta son regard. Ses genoux fléchirent, ses lèvres se décollèrent, exhalant un soupir ou un secret qu'il ne me serait jamais permis de connaître – et Paloma s'effondra.

Derrière elle, un jeune soldat serrait dans son poing un revolver encore fumant. Chemise déchirée. Figure blême. Les yeux écarquillés. Lui non plus n'avait pas l'air de comprendre ce qu'il venait de faire. Il n'avait pas vingt ans. Comme elle. Comme moi. Et nous restâmes tous les deux face à face, pétrifiés, jusqu'à ce que la mort le cueille à son tour, dans l'éclair fulgurant d'une balle de Winchester.

Au même instant, un cheval surgit à mon côté. Son cavalier sauta à terre en criant :

— Couvre-moi !

Puis l'homme se pencha sur le corps de Paloma. Il passa ses bras par-dessous et le souleva. Ce n'est qu'à ce moment-là que je reconnus Bandit. Ce fut pour moi comme un déclic : je clignai des paupières, brusquement la conscience me revint et avec elle toute l'horreur de la situation. Alors, j'épaulai mon fusil et ouvris le feu.

Et je tirai, je tirai, encore et encore, sans viser, au hasard, je tirai sur tout ce qui bougeait, en proie à une sorte de transe, mécanique, incontrôlable, je tirai, épuisant bientôt mes munitions sans avoir épuisé ni ma colère ni ma souffrance.

Puis la voix de Bandit me cingla à nouveau :

— Par là ! Vite !

J'ôtai enfin mon doigt de sur la détente et lâchai mon fusil. Bandit était remonté en croupe, Paloma couchée devant lui, en travers de la selle. Il fouetta sa jument, l'encouragea d'un cri puissant, sauvage, et l'animal fonça dans le tas. Je pris aussitôt son sillage.

Quelques minutes plus tard, nous franchissions en sens inverse les deux épais panneaux de fer, laissant derrière nous un Fort Milagro en ruine et en flammes.

Puisqu'il était dit que nous ne partagerions pas le même tombeau que nos frères.

Je ne sais pas si Bandit avait déjà son idée en tête lorsqu'il s'extirpa de la forteresse. En tout cas, il n'eut pas une seconde d'hésitation. Dès la sortie, il tourna bride et s'engagea droit vers le territoire interdit. Dans la vallée de la Luna.

Quittant un enfer pour un autre.

Nous galopâmes un long moment. L'aube se levait mais le soleil se refusait à apparaître. Régnait une étrange clarté, diffuse et froide. J'eus tôt fait de comprendre ce qui valait son nom à la vallée. Un paysage lunaire. Du moins, tel qu'on se l'imagine. S'il y avait un soupçon de vie, quelque part par ici, cela ne pouvait être que très loin sous nos pieds, à des profondeurs abyssales, dans les entrailles mêmes de la Terre. À la surface, rien ne transparaissait. Aucune plante, aucun animal, pas le moindre filet d'eau. Tout cela avait peut-être existé en d'autres temps, mais tout cela avait été étouffé, enseveli sous la bave dévastatrice des volcans. Partout le sol était recouvert d'une couche de lave solidifiée. Les volcans avaient craché tout leur soûl. Ils s'étaient approprié le territoire et y régnaient désormais sans partage. Maîtres de la désolation. Seuls leurs dos bossus se découpaient dans la lumière rasante de l'aurore. Il y en avait de toutes tailles et de toutes formes. Monstres assoupis hérissant l'échine en signe d'avertissement. De menace. Il fallait être fou ou désespéré pour oser faire intrusion dans leur domaine. Et sans doute que nous l'étions, l'un et l'autre, puisque nous continuions de nous y enfoncer toujours plus avant.

La croûte desséchée sonnait creux sous les fers des chevaux. Bandit galopait en soutenant comme il le pouvait le buste de Paloma… Paloma ? Comment était-ce possible ?… Je voyais flotter devant moi la longue traîne noire de ses cheveux, et son corps souple, tiède, si vivant il y a peu, je le voyais à présent brinquebaler sur la selle comme un vulgaire sac de grains ! À chaque foulée pénétrait un peu plus profondément dans ma chair la pointe acérée, meurtrière, de cette réalité.

Tu m'avais quitté, Paloma.

Tu étais partie sans moi. Paloma, ma colombe, délivrée, envolée en deux coups d'ailes tandis que je restais cloué au sol, prisonnier de mon propre poids. Jamais plus nous ne courrons la plaine ensemble, ventre à terre. Jamais plus je ne sentirai la douceur de tes doigts sur mes tempes. Jamais plus la caresse de ta voix récitant les recettes du manuel comme autant de poèmes sans rime ni raison. Jamais plus !

Les larmes se mirent à couler. Séchées, balayées au fur et à mesure par l'air qui me fouettait la figure.

J'ignore quelle distance nous parcourûmes ainsi. Au bout d'un moment, Bandit ralentit l'allure. Puis il s'arrêta tout à fait et je l'imitai. Le souffle des chevaux ne pesait pas lourd face au silence des lieux. Autour de nous se dressaient trois volcans, pareils à de gigantesques fourmilières. Bandit leva la tête et parut examiner tour à tour chacun des sommets.

Après quoi il dirigea sa monture, au pas, jusqu'au pied de l'un des géants. Je le suivis sans poser de questions. Je n'avais aucune idée de ses intentions, mais cela m'était égal. L'aube s'éternisait, diffusant toujours la même lueur, terne, sale, grise. Il m'effleura l'esprit qu'il en serait désormais ainsi jusqu'à la fin des temps, que le jour – la vraie, la grande, l'éclatante lumière du jour – ne daignerait plus nous éclairer. Car nous n'en étions pas dignes. Et cela aussi m'était égal.

Nous abandonnâmes les chevaux au bas du volcan. De nouveau Bandit prit Paloma dans ses bras et la porta comme une enfant, comme une princesse endormie. Il entama l'ascension. Je lui emboîtai le pas.

Le versant s'élevait en pente douce. On aurait dit une simple colline, pelée, rongée inexorablement par des pluies acides jusqu'à ne plus laisser apparaître que son squelette aride et craquelé. Quelques morceaux de croûte s'effritaient parfois sous nos bottes. Je grimpais sans fatigue ni effort. Je sais que j'aurais pu continuer ainsi des heures et des heures et des heures… Mais je sais aussi que j'avais perdu toute mesure de la distance et du temps.

Nous parvînmes au sommet sans avoir ouvert la bouche. Là-haut, les bords du volcan s'incurvaient légèrement, pour ensuite se replier d'un seul coup vers l'intérieur en formant un profond cratère. Ce dernier dessinait un cercle presque parfait. Je penchai la tête au-dessus : d'abord je ne vis que du noir, puis je finis par distinguer des sortes de fumerolles, çà et là, de courts panaches vaporeux jaillissant des parois mêmes du volcan.

Le monstre n'était pas mort. Peut-être celui-ci était-il plus jeune que les autres ? Ou peut-être était-il en train de renaître de ses cendres ? Toujours est-il qu'il respirait, et que l'on pouvait imaginer son sang, son beau et terrible sang rouge qui bouillonnait quelque part là-dessous au fond du gouffre.

Bandit s'était assis, Paloma étendue près de lui, la nuque posée sur sa cuisse. Il promenait lentement un doigt sur son visage, l'effleurant à peine, comme s'il en esquissait les contours et les traits. Un geste doux. Un geste d'amour pur.

Celui d'un père envers son enfant.

Le regard de Bandit était vide, éteint. N'y subsistait rien du feu puissant qui l'animait, ni foi, ni rage, ni folie, rien de ce qui avait fait de lui, au cours de toutes ces années, l'homme le plus craint du pays. Ses yeux étaient à présent l'exact reflet de cette vallée désolée qui s'étendait autour de nous.

Je ne parvenais même plus à lui en vouloir.

Je m'assis à mon tour. Les minutes passèrent, et je pensais vaguement que nous resterions là, sans parler, sans bouger, à attendre le temps qu'il faudrait pour que nos os se changent en poussière. Mais Bandit cessa bientôt ses caresses. Il ôta délicatement la pochette de toile que Paloma portait en bandoulière et qui contenait le seul livre qu'elle ait jamais lu : le fameux *Petit Manuel d'économie domestique*. Objet dérisoire et essentiel.

— Prends, dit-il.

Je fixai sa main tendue sans réagir.

— Prends, insista Bandit. C'est ce qu'elle aurait souhaité. Tu lui as plus apporté que n'importe qui d'autre sur cette Terre.

J'aurais pu rétorquer que c'était elle qui m'avait tant et tant donné, tant et tant appris, mais je craignais qu'en desserrant les lèvres les sanglots ne jaillissent à nouveau. Je saisis l'ouvrage. Bandit acquiesça en silence. Puis il souffla :

— Cela doit continuer.

Je ne compris pas sur le coup ce qu'il entendait par là, mais je n'eus pas le loisir de m'interroger. Bandit se releva en soulevant Paloma. Dans ses bras elle semblait plus légère qu'une corbeille de fleurs. Par réflexe, je me redressai aussi.

— Regarde, fils, dit Bandit d'une voix douce. Le soleil se lève.

Je fis volte-face et regardai dans la direction qu'il indiquait. C'était vrai : tout là-bas, à l'est, un large disque jaune apparaissait derrière la ligne de l'horizon. Ses premiers rayons soulevaient le voile terne de l'aube, saupoudrant d'or les toits de dizaines de volcans.

Quand je me tournai à nouveau, il n'y avait plus personne en face de moi. Ni Bandit ni Paloma. Le sommet était désert. Je n'avais perçu aucun bruit. La surprise me paralysa durant une poignée de secondes, puis je me précipitai au bord du cratère. Mais j'eus beau scruter à m'en brûler les yeux son énorme gueule noire, je ne vis rien d'autre que ces quelques panaches gazeux qui montaient des profondeurs.

À croire qu'ils s'étaient simplement volatilisés.

Épilogue

Mon ange gardien s'appelait Jonas Milton. Je veux parler de ce brave et opiniâtre capitaine : celui-là même qui, des années auparavant, commandait l'escorte de notre diligence. Celui, également, qui par la suite avait été blessé en tentant de m'arracher aux mains de la bande.

Peut-être, ayant échoué à sauver la vie de mes parents, croyait-il conserver une dette envers moi ? Car ce fut lui encore une fois qui se lança à ma recherche, en dépit de tout bon sens. Et qui me retrouva, je ne sais combien de jours plus tard, errant dans la vallée de la Luna, à demi mort de faim et de soif, à demi fou de chagrin et de désespoir.

Et c'est ici aussi que s'achève cette histoire.

Je sais qu'ils seront nombreux à douter de sa véracité. À insinuer, sourire entendu aux lèvres, que ces lignes ne sont que le fruit d'une imagination débordante. Ou, en d'autres termes : les ragots d'un vieillard sénile !

Bah !... Laissons-les dire.

Si je n'avais pas pris la plume pour leur rendre hommage, à Paloma, à Bandit, à la baronne, au Muet et à tous autant qu'ils furent, qui l'eût fait à ma place ?

J'estime qu'ils le méritent. Je n'aimerais pas qu'on les oublie trop vite quand je ne serai plus là.

Pour ma part, cette expérience m'a bouleversé. Elle a considérablement influencé le reste de mon existence. Et je ne désespère pas qu'un jeune et sensible lecteur puisse à son tour en retirer quelque richesse.

Puisque « cela doit continuer », n'est-ce pas ?

J'ai fêté hier mes cent dix-huit printemps. D'ici quelques jours viendra au monde ma soixante-douzième arrière-arrière-arrière-petite-fille. Et j'ai demandé comme une faveur à ce qu'on la baptise Paloma.

Car je crois qu'il est grand temps que renaissent les légendes.

Table des matières

Vous avez aimé

De poussière et de sang

Retrouvez page suivante les autres titres de la collection Grand Format de Pocket Jeunesse

Stravaganza (trois tomes parus)

La Maison Windjammer (trois tomes parus)

La Guerre des Fées (trois tomes parus)

La Guerre des Clans (trois tomes parus)

L'Oracle (quatre tomes parus)

L'Habit rouge de Peter Pan

Cette chanson-là

Le Fils de la sorcière

Les Bâtisseurs de Notre-Dame

… et beaucoup d'autres !

Cet ouvrage a été imprimé par

FIRMIN DIDOT

GROUPE CPI

Mesnil-sur-l'Estrée

pour le compte des Éditions Pocket Jeunesse
en février 2007

Composition : Francisco *Compo*
61290 Longny-au-perche

POCKET — 12, avenue d'Italie — 75627 Paris Cedex 13
N° d'impression : 83472 – Dépôt légal : mars 2007.

Imprimé en France